फ़िट हों 12 हफ़्तों में

फ़िट हों 12 हफ़्तों में

ऋजुता दिवेकर

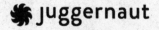 juggernaut

जगरनॉट बुक्स

सीआई—128, फर्स्ट फ्लोर, संगम विहार, होली चौक के पास,
नई दिल्ली 110080, इंडिया

जगरनॉट बुक्स से पहली बार प्रकाशित 2020

जगरनॉट बुक्स से अंग्रेजी में पहली बार 2020 में प्रकाशित

कॉपीराइट © ऋजुता दिवेकर 2020

10 9 8 7 6 5 4 3 2 1

P-ISBN: 9789353451073
E-ISBN: 9789353451080

बैक कवर पर लेखक फोटो : डब्बू रतनानी

टाइपसेट : नियो साफ़्टवेयर कन्सलटैंट्स, प्रयागराज

मुद्रक : थॉमसन प्रेस इंडिया लिमिटेड

अनुक्रम

प्रस्तावना : वजन घटाने से परे स्वास्थ्य   vii

12 हफ़्तों के फिटनेस प्रोजेक्ट के बारे में   1

सस्टेनेबल हेल्थ के तीन नियम   13

बारह दिशानिर्देश   39

प्रत्येक दिशानिर्देश के लिए

- दिशानिर्देश
- कैसे पालन करें पर नोट्स (जैसा लागू हो)
- लाभ और क्यों पालन करें
- अक्सर पूछे जाने वाले प्रश्न

हमेशा के लिए कैसे प्राप्त करें : बारह कदम   155

परिशिष्ट

1. बारह हफ़्तों के दिशानिर्देश के लिए
   कुछ सन्दर्भ   159

2. सहभागियों का फीडबैक   162

3. परिवारों और बच्चों के लिए बारह हफ़्तों
   का दिशानिर्देश   178

लेखक परिचय   203

प्रस्तावना

वजन घटाने से परे स्वास्थ्य

हमारे दिमाग में अच्छे विचार अचानक ही आते हैं और इसी तरह 12 सप्ताह का फिटनेस प्रोजेक्ट भी अचानक ही निकला था।

लेकिन इसके पीछे भी एक लम्बी कहानी है। इस प्रोजेक्ट का विचार मेरे जेहन में आया क्योंकि एक पोषण विशेषज्ञ (न्यूट्रिशनिस्ट) और फिटनेस प्रोफेशनल के रूप में, मैंने खुद समय समय पर इस तरह की चीजों के इतिहास को बदलते देखा है। नये साल पर लोग तरह तरह के कमिटमेंट करते हैं, कसमें वादे खाते हैं कि मैं हेल्दी खाना खाऊँगा, एक्सरसाइज करूँगा, वॉक करूँगा, शुरुआत के दो तीन हफ़्ते तक तो सब ठीक से चलता है लेकिन फिर समय के साथ लोगों पर पुरानी आदतें हावी हो जाती हैं।

पर ऐसा तब होता है जब आप अपने स्वास्थ्य को, फिटनेस को अपनी जिन्दगी से अलग करके देखते हैं, या आपको लगता है कि आप हेल्दी रूटीन अपना कर खुद पर एहसान कर रहे हैं। यह फिटनेस प्रोजेक्ट इस विचार से निकला है कि हेल्थ और फिटनेस को जीवन से अलग नहीं बल्कि जीवन का ही एक महत्वपूर्ण अंग माना जाना चाहिए। एक ऐसा फिटनेस प्लान जिसके लिए आपको बहुत मेहनत न करनी पड़े, जो बहुत सामान्य हो, आर्गेनिक हो, और आपके रोज़ाना की ज़िन्दगी में स्थायी रूप लेकर बिना किसी उथल-पुथल के आपको हेल्दी रख सके। याद रखें आपको स्वस्थ शरीर का विकास करना है न कि कोई लड़ाई लड़नी है।

न्यूट्रिशन साइंस का यह विचार नये रिसर्च के साथ प्रभावकारी भी है और अक्टूबर 2019 में डबलिन में हुए प्रतिष्ठित यूरोपियन न्यूट्रिशन कांफ्रेंस (FENS), में प्रमाणित भी। प्रत्येक चार सालों में होने वाले यूरोपियन न्यूट्रिशन कांफ्रेंस को न्यूट्रिशन कांफ्रेंस के मामले में ओलम्पिक जैसी प्रतिष्ठा हासिल है। यह ऐसी जगह है जहाँ लोग कुछ नया सीखते हैं, विचारों का आदान-प्रदान करते हैं, भोजन और न्यूट्रिशन के क्षेत्र में नये दिलचस्प खोजों के बारे में चर्चा करते हैं। हमने सम्मलेन में 12 हफ़्ते के फिटनेस प्रोजेक्ट के परिणामों को पहली बार पेश किया जो कि भोजन, स्वास्थ्य और लाइफस्टाइल के लिए पूरी तरह देशी

अन्दाज के साथ ऐसे बड़े अन्तर्राष्ट्रीय मंच पर हमारी अच्छी शुरुआत को दिखाता है।

हम संक्षेप में यहाँ पोषण विज्ञान (न्यूट्रिशन साइंस) से सम्बन्धित कुछ चीजें आपके सामने रख रहे हैं :

- मोटे लोगों की 25 से 30 प्रतिशत आबादी स्वस्थ है, इन्हें पोषण विज्ञान की भाषा में एम एच ओ यानि मेटाबॉलिकली हेल्दी ओबेस कहते हैं।
- इसका मतलब ये हुआ कि ऐसे लोगों में, मधुमेह, कैंसर, हृदय रोग जैसी बीमारियों का खतरा नहीं या बहुत कम है। और इनका लिवर फैट और लिपिड प्रोफाइल नियंत्रण में है।
- लेकिन हेल्थ के बारे में लोगों को बहुत सारी ग़लतफ़हमियाँ हैं और सारा जोर केवल वजन घटाने की तरफ ही है।
- शायद यही वजह है कि आजकल लोगों को सबसे सामान्य सलाह वजन कम करने की दी जाती है। फिर लोग उन डाइट्स का सहारा लेते हैं जो जल्दी वजन कम करने में उनकी मदद करें।
- सारे तो नहीं लेकिन ज़्यादातर लोग अपनी कैलोरी, खान-पान समय इत्यादि में बहुत अधिक सावधानी बरतने लगते हैं।
- मतलब लोग अपना वजन घटाने की कठिन, अनजानी

यात्रा पर चलने लगते हैं।

- उनकी रोज की ज़िन्दगी ऐसी हो जाती है मानो खुद के शरीर से बदला ले रहे हों, सिर्फ इसलिए कि उनका वजन कम हो।

- इस प्रक्रिया का सबसे खतरनाक रूप यह सामने आता है कि वो, डायबिटीज़, कैंसर, हृदय रोग जैसी बीमारियों की चपेट में आ जाते हैं, मतलब फिर वहीं पहुँच जाते हैं जिससे निकलने के लिए उन्होंने इतनी मेहनत की थी।

- अच्छे स्वास्थ्य के लिए बहुत मुश्किल रूटीन की बजाय एक आरामदायक और टिकाऊ रणनीति की ज़रूरत होती है, जिससे आपके शरीर पर कोई उल्टा या बुरा असर न पड़े।

- वजन घटाने के बारे में जहाँ तक खतरों की बात है तो एक वर्ष में 5 से 10% वजन घटाने में कोई खतरा नहीं है।

- हेल्दी बॉडी के लिए सबसे बड़ा मन्त्र है सही खान-पान, रोजाना कसरत, इन्हीं आदतों को अपनाकर कोई भी लम्बे समय तक हेल्दी जीवन जी सकता है। सस्टेनेबल डायट के लिए तीन चीजें ज़रूरी हैं, यह पोषक तत्वों से भरपूर हो, देशी कल्चर के हिसाब से हो और इकोलॉजिकली सेंसिटिव हो।

- सीधे शब्दों में कहें तो आप लोकल, मौसमी और

ट्रेडिशनल खाना खायें और लम्बे समय तक हेल्दी रहें।

आज खान-पान का विज्ञान भी पूरा 180 डिग्री घूमकर उसी जगह आ गया है जहाँ यह हमारी दादी-नानी के ज़माने में था। मतलब खान-पान वही बस सोच नयी। लेकिन यकीन मानिये कि न्यूट्रिशन साइंस धीरे-धीरे ही सही पर हेल्थ के प्रति लगातार लोगों की सोच को बदल रहा है। अब आप आधिकारिक रूप से यह बात कह सकते हैं कि भोजन का मतलब सिर्फ कार्बोहाइड्रेट, प्रोटीन और वसा का मेल नहीं रह गया है, ये गुजरे ज़माने की बात है।

दरअसल पोषण विज्ञान अब लोगों को यह एहसास करा रहा है कि भोजन न केवल लोगों को स्वस्थ बनाता है बल्कि लोकल इकोनॉमी की सेहत को भी सुधारता है और ग्लोबल इकोलॉजी को ठीक करने में भी योगदान देता है। मैं तो कहूँगी, ट्रेडिशन, कॉमन सेंस और विज्ञान का मेल बुरा नहीं है।

लेकिन ये सारी वही चीजें हैं जिसे हम पहले से जानते हैं। हमने अपने आस-पास और खुद भी यह महसूस किया है कि जल्दी वजन घटाने के क्या-क्या साइड इफेक्ट्स होते हैं। हमने ये भी देखा है कि अगर कोई इंसान मोटा है और कभी वो बीमार पड़ता है तो सारा दोष उसके मोटापे पर ही जाता है।

अगर आज से बीस साल पहले फैट, शरीर के लिए बुरा था

तो आज उसकी जगह कार्बोहाइड्रेट ने ले ली है, नये ज़माने का नया दुश्मन, लेकिन वादा और कन्फ्यूजन वही पुराना है। मतलब अगर आपने अपने जीवन से इस अकेली बुरी चीज को हटा दिया तो पक्के तौर पर आप हेल्दी रहेंगे। क्या सच में शरीर की सारी समस्याओं की जड़ वसा या कार्बोहाइड्रेट है? फिटनेस प्रोजेक्ट इसी पुराने नैरेटिव को बदलने के विचार से आया है जो हेल्थ के प्रति एक सस्टेनेबल, सेंसिबल और साइंटिफिक एप्रोच पर आधारित है।

यह बिल्कुल ऐसा ही है जैसे आपके जीवन में कोई जेम्स बॉन्ड वाली मुस्कान और फैंसी स्पोर्ट्स कार में आये और आप उसकी अदा पर मर जायें लेकिन सही मायने में हर कोई ऐसा साथी चाहता है जो आपको ट्रेवल किट में कहीं जाते समय टूथब्रश पैक करने की याद दिलाए। यह फिटनेस प्रोजेक्ट आपके लिए वही साथी बनेगा जो आपको, शान्त, स्थिर रहकर मजबूती से छोटी—छोटी चीजों की याद दिलाए। यहाँ वही नई चीज आपके सामने है—

अध्याय एक

12-हफ़्तों के फिटनेस प्रोजेक्ट के बारे में

12 हफ़्तों का फिटनेस प्रोजेक्ट कई कारणों से खास है। जिनमें से एक है इसे मिलने वाली प्रतिक्रिया और लोगों में इसके प्रति उत्साह है। इसका अन्दाजा इसी बात से लगाया जा सकता है कि रजिस्ट्रेशन शुरू होने के पाँच मिनट के अन्दर ही 500 लोगों ने इसके लिए साइन अप किया।

क्या मैं इसे बन्द कर दूँ? मैंने बालकनी में चाय की चुस्कियाँ लेते हुए अपने सहयोगी जीपी से पूछा। उसका जवाब था, नहीं देखते हैं। 5000 तक इन्तजार करते हैं। '500 के बाद 5000' मुझे लगा हम सुबह तक ये आँकड़ा छू लेंगे। जब मेरे दिमाग में यह बात चल रही थी उस वक्त शाम के करीब 5 या 5:30 बज रहे होंगे, अगले एक घंटे में हमने 5000 और अगली सुबह तक 75000 का आँकड़ा पार कर लिया था। हम बहुत खुश थे, हेल्थ के प्रति लोगों के उत्साह और हमारे प्रोजेक्ट को मिली

प्रतिक्रिया से। हमने रजिस्ट्रेशन बन्द कर दिया और फिर मेरे ऑफिस के फ़ोन की घंटियाँ लगातार घनघनाने लगीं।

ऋजुता दिवेकर ऑफिस; मैंने एक कॉल का जवाब देते हुए कहा। सामने वाले की आवाज आयी, क्या समस्या है उसे? 'फॉर्म्स बन्द क्यों कर दिया' 'सर हमारे पास 75000 से ज़्यादा रजिस्ट्रेशन हो गये थे।' 'तो? आप इसे बन्द कर देंगी? क्या यह उन लोगों के लिए किसी प्रकार की सजा है जो लगातार अपने फोन पर फेसबुक से चिपके नहीं रहते हैं?' नहीं, 'मैं कामयाब रही।'सर दरअसल हम इतने सारे लोगों को सँभालने या उनके पैरामीटर्स को नापने में सक्षम नहीं होंगे।'

'देखो, यही समस्या है ऋजुता दिवेकर जैसी महिलाओं की। स्केलेबिलिटी से डरते हैं। तकनीक का सही से उपयोग नहीं करते। मेरे हैदराबाद कार्यालय में लोग हैं, कम से कम 10 लोग मेरे फ्लोर पर होंगे जो आपके लिए डेटा क्रंच कर सकते हैं। आप डेटा को लेकर क्या प्लान कर रही हैं? लोगों को इस प्रोजेक्ट से क्या फायदा हो रहा है इसको ट्रैक करेंगे,' मैंने जवाब दिया।

तो फिर तकनीक का इस्तेमाल कीजिये मैडम, लोगों के लिए फॉर्म्स फिर से खोल दीजिये। इसे और अधिक लोगों तक पहुँचाइये। इस तरह की अच्छी चीजें शायद ही कभी मुफ़्त में

मिलती हैं। अपनी अच्छी सोच, इरादे को यूँ बर्बाद मत कीजिये। 25000 से 35000 रजिस्ट्रेशन और लीजिये और लोगों को यह बताइये कि वे अभी भी इस प्रोजेक्ट के गाइडलाइन्स का पालन कर सकते हैं लेकिन आधिकारिक तौर पर प्रोजेक्ट का हिस्सा नहीं होंगे, एक क्रिटिकल मास तक तो पहुँचने दो। शिट! इस जबरदस्त डाँट के लिए धन्यवाद, मैं यह कहना चाहती थी, लेकिन मैंने बात आगे न बढ़ाते हुए फोन रख दिया और फिर उस व्यक्ति ने जो बताया था उसी का पालन किया।

12 सप्ताह के बाद 40 देशों से अधिक के करीब 1.25 लाख प्रतिभागी हर हफ़्ते रजिस्ट्रेशन फॉर्म भरते हैं और अपने हेल्थ की प्रोग्रेस से जुड़े स्टैंडड्र्स को हर महीने मार्किंग कर रहे हैं। मैं जितने लोगों को आईटी में जानती हूँ वो सब ये जानना चाहते थे कि मैं इतने विशाल डेटा का विश्लेषण कैसे करने जा रही हूँ?

'क्या आपके पास ऐसे लोग हैं जो इसे कर सकते हैं? आप कौन-सा सॉफ्टवेयर इस्तेमाल कर रही हैं?' यकीन मानिये हमें इसका कोई अता-पता नहीं था। हम केवल गूगल फॉर्म्स से ली गयी जानकारियों पर काम कर रहे थे जिसमें हेल्थ पैरामीटर्स और कमर से चर्बी कम करने के बारे में बताया गया था, लेकिन हमें यह नहीं पता था कि सही नम्बर कैसे प्राप्त किया जाए।

हमारे लिए खुशकिस्मती की बात यह रही कि इस काम में माईगव (भारत सरकार की वेबसाइट) के विकास सिंह और आईआईटी बॉम्बे के इंजीनियर धवल गोयल अपनी इच्छा से हमारे साथ आये और एनालिसिस में हमारी काफी मदद की। डेटा क्रंचिंग (डेटा क्रंचिंग इन्फॉर्मेशन साइंस में एक तरीका है जो बड़ी मात्रा में डेटा और सूचना (बिग डेटा) के ऑटोमेटेड प्रोसेसिंग की तैयारी को सम्भव बनाता है) इस प्रोजेक्ट का बेहद महत्वपूर्ण आधार था जिसके बिना हम फिटनेस प्रोजेक्ट के प्रभावों का सही-सही आकलन नहीं कर पाते।

हमें पता था कि इसने काम किया था—लेकिन ये सिर्फ मन की आवाज थी ऐसा मानने का हमारे पास कोई मजबूत आधार नहीं था—लेकिन वास्तव में कितना और कितनी अच्छी तरह से काम किया था ये हमें कभी पता नहीं चल पाता। इसलिए विकास और धवल बिना किसी लाग-लपेट के आप दोनों का बहुत-बहुत धन्यवाद। इंसानों की स्वास्थ्य गतिविधियों को मुफ़्त में ट्रैक करने का यह बेजोड़ अवसर है, और यह आप दोनों के बिना सम्भव नहीं हो पाता।

साथ ही साथ मैं सभी सहभागियों का भी शुक्रिया अदा करना चाहती हूँ कि आपने हमारे गाइडलाइन्स का पालन किया और अपने पैरामीटर्स पर नज़र रख हर हफ़्ते उसकी प्रगति को हमारे

साथ साझा किया। खासकर वो 1500 प्रतिभागी जिन्होंने बिना एक भी फॉर्म छोड़े हमारे साथ साझा किया। मैं जानती हूँ कि बड़ी-बड़ी यूनिवर्सिटी इस तरह के, प्रयोग, अनुसन्धान, काम के लिए पैसा देती हैं लेकिन आप सबने यह कार्य नि:शुल्क किया। आप सब का प्यार, सहयोग, उत्साह इस प्रोजेक्ट में मेरे लिए सबसे महत्वपूर्ण पहलू रहा। मैं जीवनभर आप लोगों की ऋणी रहूँगी।

नोट : इस परियोजना की रिपोर्ट अब एक अन्तर्राष्ट्रीय सार्वजनिक स्वास्थ्य पत्रिका में एक रिसर्च पेपर के रूप में प्रकाशित हुई है। आप इसे यहाँ देख सकते हैं :

सांस्कृतिक रूप से उपयुक्त खान-पान और जीवन शैली अपनाने से पब्लिक हेल्थ सस्टेनेबल होता है। पब्लिक हेल्थ पर इंटरनेशनल कांफ्रेंस की रिपोर्ट, 5(1): 21-26-http:@@ doi.org@10.17501@23246735.2019.5103

प्रोजेक्ट, कौन, क्यों और कैसे

हम उस दौर में रह रहे हैं, जहाँ लोग खान-पान को लेकर बहुत भ्रमित हैं। बहुत से आसान सवाल जैसे 'हम स्वस्थ कैसे रहें?' हमें क्या खाना चाहिए?' के आपको हजारों उत्तर लेकिन बेहद उलझे हुए और एक दूसरे की बात को काटते हुए मिलेंगे। यह

भी स्पष्ट है कि एक तरफ समूचे विश्व में डाइट ट्रेंड्स बढ़ रहे हैं जबकि पब्लिक हेल्थ की हालत बिगड़ती जा रही है।

भारत में एक बड़ी आबादी, मोटापे, मधुमेह, कैंसर, पीसीओडी हार्मोंस से सम्बन्धित बीमारियों, हृदय रोग, मानसिक रोग जैसी अनेक गैर छुआछूत (नॉन कम्युनिकेबल डिजीज) बीमारियों से पीड़ित हैं। इन बीमारियों के बीच न्यूट्रिशन साइंस कहाँ खड़ा है? पोषण विज्ञान के नये खोज और इस दिशा में किये गये अनेक प्रयोग से यह बात निकल कर आयी है कि वैसा खान-पान जो आपके कल्चर से मेल खाता हो और आपके खाने की आदतें अच्छे पोषण और हेल्थ के लिए गोल्ड स्टैण्डर्ड की तरह हैं। दूसरे शब्दों में कहें तो जो खान-पान आपकी नानी दादी की पीढ़ियों से चले आ रहे हैं आपको उसी राह पर चलना चाहिए।

तो हमारी रोजमर्रा की ज़िन्दगी में कल्चरली रिलेवेंट खाना और खाने के तरीके का क्या मतलब है? यह बहुत सामान्य है जैसे हमें स्थानीय (लोकल), देशी, मौसमी, ट्रेडिशनल भोजन करना चाहिए। स्थानीय खाने का मतलब जैसे चावल न कि क्विनोआ (ग्लूटेन फ्री अमेरिकन अनाज) मौसमी खाने में आपको सर्दियों में अमरूद गर्मियों में आम खाना चाहिए न कि साल भर किवी खानी चाहिए। अब आते हैं पारम्परिक खाने पर, यह वो खाना

है जो आपकी नानी दादी खाकर बड़ी हुई हैं, दाल में जीरा, देशी घी का तड़का, हल्दी का भरपूर बेझिझक प्रयोग करें न कि सप्लिमेंट की तरह। हमें अपना सांस्कृतिक गौरव वापस लाना होगा और यह तभी होगा जब हम, अपनी भाषा, बोली, खान-पान और अपनी परम्परा पर न केवल गर्व महसूस करते हुए उसे आगे बढ़ाएँ बल्कि आने वाली पीढ़ियों को भी उससे अवगत कराएँ।

इस प्रोजेक्ट को इसलिए लाया गया है क्योंकि हम यह मानते हैं, स्वस्थ रहना न तो कठिन है न खर्चीला और कुछ ऐसे नुस्खे जिन तक सबकी पहुँच होनी चाहिए।

कैसे

1. हर हफ़्ते एक गाइडलाइन्स दी जाती थी जिसका पालन उन्हें जुड़ते या बढ़ते हुए चरण में करना होता था। मतलब दूसरे हफ़्ते में उन्हें पहले हफ़्ते के साथ-साथ दूसरे हफ़्ते के निर्देशों का भी पालन करना था, और तीसरे हफ़्ते में पिछले दो हफ़्तों के भी गाइडलाइन्स का पालन करना था, और फिर इसी क्रम में 12 हफ़्तों तक ऐसा किया जाना था।

2. प्रत्येक सप्ताह के अन्त में, प्रतिभागियों ने निम्नलिखित पैमाने पर गाइडलाइन्स के पालन का उल्लेख किया—जो

कि ज़्यादातर, 50-50, थे।

3. प्रत्येक महीने के अन्त में, उन्होंने 1-5 (जहाँ उच्च रेटिंग का मतलब बेहतर परिणाम है) तक के मेटाबॉलिक हेल्थ पैरामीटर्स जैसे ऊर्जा का स्तर, नींद की गुणवत्ता, गैस/अपच, खाने के बाद मीठा खाने की इच्छा, व्यायाम और महिलाओं को माहवारी के दौरान दर्द आदि बढ़ने का मूल्यांकन किया। अन्त में उन्होंने इस दौरान कमर पर मोटापे के घटने को भी ट्रैक किया।

कौन?

इसे कौन कर सकता है? इसका बहुत सीधा-सा उत्तर है, कोई भी व्यक्ति कहीं भी जो अच्छे स्वास्थ्य के लिए प्रयास करना चाहता/चाहती है वो इसे कर सकते हैं। ऐसे लोग जिन्हें मधुमेह, हार्मोन्स से सम्बन्धित बीमारी, हृदय रोग इत्यादि है और जो किसी दूसरे देश में रहते हैं उनके लिए कुछ विशेष गाइडलाइन्स दिये गये हैं।

परिणाम

यहाँ प्रतिभागियों द्वारा रिकॉर्ड किये गये सुधार दिये गये हैं।

1. मेटाबॉलिक हेल्थ पैरामीटर्स पर सुधार (जो कि प्रतिभागियों

द्वारा खुद को 1 से 5 तक की रेटिंग पर आधारित था)

मेटाबॉलिक हेल्थ पैरामीटर्स	सभी प्रतिभागियों में प्रगति	नियमित प्रतिभागियों में प्रगति
दिन भर के दौरान ऊर्जा का स्तर	33%	44%
रात में नींद की गुणवत्ता	31%	41%
गैस/सूजन/अपच	52%	68%
खाने के बाद मीठा खाने की तलब	51%	66%
हफ़्ते भर के दौरान व्यायाम का पालन	44%	54%
पीएमएस/माहवारी के दौरान दर्द (महिलाओं के लिए)	48%	53%

2. बारह हफ़्तों के दौरान व्यक्तिगत मेटाबॉलिक हेल्थ पैरामीटर्स में प्रगति (नियमित प्रतिभागियों द्वारा एक से पाँच तक के पैमाने पर दी गयी स्वयं सूचना) चार्ट में दी गयी संख्या रेटिंग का औसत है।

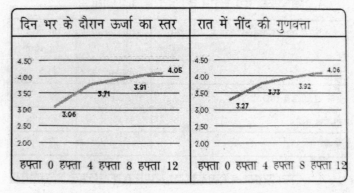

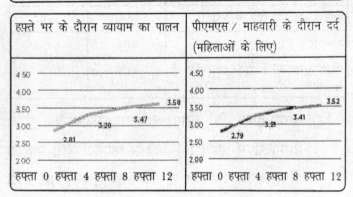

गैस/सूजन/अपच	खाने के बाद मीठा खाने की तलब
2.78 — 3.49 — 3.66 — 3.77	2.85 — 3.54 — 3.73 — 3.83
हफ्ता 0 हफ्ता 4 हफ्ता 8 हफ्ता 12	हफ्ता 0 हफ्ता 4 हफ्ता 8 हफ्ता 12
हफ्ते भर के दौरान व्यायाम का पालन	पीएमएस / माहवारी के दौरान दर्द (महिलाओं के लिए)
2.81 — 3.28 — 3.47 — 3.58	2.79 — 3.21 — 3.41 — 3.52
हफ्ता 0 हफ्ता 4 हफ्ता 8 हफ्ता 12	हफ्ता 0 हफ्ता 4 हफ्ता 8 हफ्ता 12

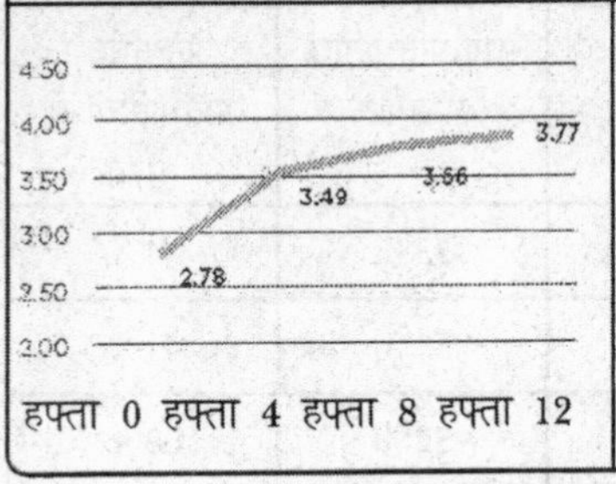

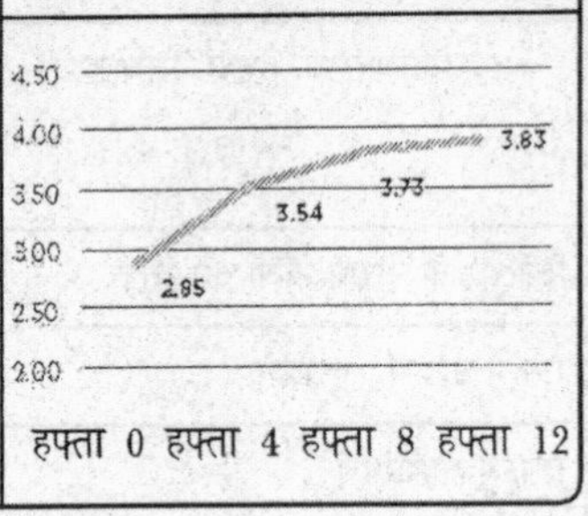

3. नाभि के पास वज़न का इंच में कम होना

नाभि के पास वज़न का इंच में कम होना	सभी प्रतिभागी	नियमित प्रतिभागी
एक इंच तक	38—4%	41.7%
एक से दो इंच तक	22.8%	27—%
दो इंच तक	12.4%	13.0%
कुल	73.6%	82.5%

4. अन्य स्वास्थ्य मापदंडों पर रिपोर्टिंग करने वाले प्रतिभागियों का प्रतिशत (प्रश्नावली के माध्यम से रिपोर्ट किया गया)

हेल्थ पैरामीटर्स	सभी प्रतिभागी का %	नियमित प्रतिभागियों का %
स्ट्रेंथ ट्रेनिंग शुरू किया	56%	62%
खाने के साथ प्लास्टिक का संपर्क कम किया	69%	69%
फिटनेस के बारे में धारणा बदल गयी	74%	79%

5. साल के अन्त में प्रतिभागियों द्वारा पोस्ट किये गये प्रश्नोत्तरी के मुख्य बिन्दु (दिशानिर्देशों की सस्टेनेबिलिटी के लिए)

प्रश्न	'हाँ' की रिपोर्टिंग करने वाले प्रतिभागियों का %
दिशानिर्देशों का लगातार पालन	91%
मेटाबोलिक हेल्थ में लगातार सुधार	75%
स्वास्थ्य के प्रति सकारात्मक विचार का विकास	74%
नाभि से और अधिक इंच का कम होना	70%
बार-बार खाने की इच्छा नहीं	65%

फिट हों 12 हफ़्तों में

प्रभाव रिपोर्ट

जनवरी- मार्च 2018

40+ से अधिक देश
1.25 लाख प्रतिभागी
12 साप्ताहिक दिशानिर्देश
15000 औसतन फॉर्म्स भरे गए हर हफ़्ते

फिटनेस बिना किसी उलझन के

- मेटाबोलिक हेल्थ पैरामीटर पर फोकस ना कि वजन कम करने पर
- पालन में आसान सांस्कृतिक दृष्टि से अनुकूल स्थायी भोजन
- लोकल, मौसमी, पारम्परिक ना कि कार्बोहाइड्रेट, प्रोटीन, वसा, कैलोरी वाला

1. 12 हफ़्तों में मेटाबोलिक स्वास्थ्य मानदंडों में सुधार

ऊर्जा का स्तर
44% सुधार

नींद की गुणवत्ता
41% सुधार

गैस/अपच
68% सुधार

मीठा खाने की इच्छा
66% सुधार

व्यायाम का पालन
54% सुधार

पीएमसी/माहवारी
53% सुधार

2. समग्र रूप से अच्छा स्वास्थ्य और आदतें प्रतिभागियों का %

कमर से इंच का कम होना
83%

भोजन की समझ में सुधार
80%

स्ट्रेंथ ट्रेनिंग शुरू किया
62%

प्लास्टिक के प्रयोग में कमी
70%

3. एक साल के बाद फॉलो अप — मुख्य बिंदु

अब अधिक खाने की इच्छा नहीं
65% हाँ

और अधिक इंच में कम होना
70% हाँ

एक सकारात्मक मानसिकता
74% हाँ

हेल्थ पैरामीटर का बेहतर होना
75% हाँ

पीएमएस/माहवारी दर्द में सुधार
85% हाँ

दिशानिर्देशों के साथ टिके रहना
91% हाँ

डेटा शोधकर्ता विकास सिंह और धवल गोयल

अध्याय दो

सस्टेनेबल हेल्थ के तीन नियम

इस अध्याय में हम भोजन, खान-पान के मौजूदा ट्रेंड्स पर नजर डालेंगे, जैसे उनकी उत्पत्ति कहाँ से हुई, ये हमारे स्वास्थ्य के लिए लॉन्ग टर्म सोल्यूशन्स क्यों नहीं खोज पाये, और एक व्यक्ति के रूप में आप अच्छे स्वास्थ्य और बीमारी मुक्त जीवन के लिए क्या कर सकते हैं। इन्हीं को ध्यान में रखते हुए हमने विशेष रूप से तीन नियमों को शामिल किया है :

1. मेटाबोलिक हेल्थ बनाम वजन घटाना
2. ऑल राउंड बनाम एकतरफ़ा सोच
3. दीर्घकालीन बनाम अल्पकालीन समाधान

ये तीनों नियम इस किताब के अगले भाग में आने वाले गाइडलाइन्स का आधार बनाते हैं।

खान-पान का चलन 2.0

खान-पान के चलन आते-जाते नहीं हैं, वे जाते हैं और वापस आते हैं। उदाहरण 2.0 के रूप में आपके सामने है। बिल्कुल पुरानी शराब की तरह, फर्क सिर्फ इतना है कि बोतल नयी है, और इसके इस नये अवतार में सोशल मीडिया, इन्फ्लुएंसर्स जिनके फॉलोवर्स लाखों में हैं, नये-नये एप्स का बहुत बड़ा योगदान है। तो अब एटकिंस (एक कम कार्बोहाइड्रेट आहार है, जो रॉबर्ट एटकिन्स द्वारा तैयार किया गया है) या पलेओ (ऐसा आहार जो मीट के छोटे टुकड़े, मछली, फल, सब्जियाँ, दाने और बीज का सम्मिश्रण है, जो पुरापाषाण युग में खाया जाता था, इसलिए इसे पलेओ डाइट कहा जाता है), केटो आहार (कम कार्बोहाइड्रेट ज़्यादा वसा युक्त भोजन) हो गया। (इस कार्यक्रम से जुड़ी मेरी एक परिचित ने इस खान-पान चलन 2.0 के बारे में कहा कि, जब वह इसे फॉलो कर रही थीं तो उन्हें यह, आत्मविश्वास से कम और फाट्र्स ज़्यादा लगा, यह बताने के लिए कि वह उस समय कैसा महसूस करती थीं।

इस दशक से पहले कम कैलोरी वाले प्रचलित आहार जैसे 5:2 अब लम्बे समय तक भूखे रहकर खाना छोड़ना (इंटरमिटेंट फास्टिंग) या नियत समय पर भोजन करना आदि जैसा हो गया है।

जहाँ एक आपको शिकारी की तरह खाने को कहता है तो वहीं दूसरा चाहता है कि आप अपने पूर्वजों की तरह फास्टिंग करें। बेशक आपको गुफा में रहते हुए शिकार करने की ज़रूरत नहीं है न ही साबुदाना खिचड़ी, शकरकंद, सिंघाड़े की रोटी, अरबी की सब्जी खानी है। लेकिन खान-पान से जुड़ी भ्रान्तियाँ, अलग-अलग राय इन मामूली विवरणों का सत्यानाश कर देता है।

ऐसा नहीं है कि वेट लॉस और फ़ूड इंडस्ट्री नये ज़माने के क्रान्तिकारी डाइट ट्रेंड्स के बारे में अंजान है बस वो उन कुछ मानदंडों से बंधे हैं जिन पर नये ज़माने के डाइट ट्रेंड्स को विकसित किया जा सकता है।

इस समय में अधिकांशत: डाइट का नया प्रचलन दिख रहा है। जिसमें कैलोरी को कम करके (कम भोजन या समय या भागों के माध्यम से) या फ़ूड ग्रुप्स को कम करके/समाप्त करके (कार्बोहाइड्रेट, वसा को हटाकर) अपने लक्ष्य को पूरा करते हैं।

सारांश

आहार के प्रकार	मूल बातें	उदाहरण	संस्कृतिक चक्रण	बेसिक दोष
खाने के ग्रुप को कम करें	खाने को कार्ब/प्रोटीन/वसा में कम करें उसके बाद इनमें से किसी एक ग्रुप को कम करें जब दूसरे खाने में ध्यान दे रहे हो तो	1.0 प्रचलन अटकिंस साउथ बीच 2.0 प्रचलन कीटो पेलेओ एलसीएचफ	शिकारी जीवन शैली	खाने के बने ग्रुप्स को नई तकनीक के दृष्टिकोण से देखना, भोजन के दृष्टिकोण से यह प्रणाली संस्कृति, व्यंजनों, फसल की खेती जैसी बड़ी तस्वीर को मिस कर देता है।
कैलोरी सीमित करें	या तो खाने में कम लेकर या पोरशन को कम करके कम कैलोरीज के सेवन को कम करें	1.0 प्रचलन कम कैलोरीज वाली डाइट 5:2, दो मील दिन में वज़न का आकलन 2.0 प्रचलन हफ़्ते में एक बार फ़ास्ट खाने के टाइम को सीमित करना जूस डाइट	धार्मिक उपवास आध्यात्मिक तौर से सफाई करना	कैलोरीज़ को गिनना गैर वैज्ञानिक अनसस्टेनबल है फास्टिंग का नया ट्रेंड धार्मिक उपवास के उस बिन्दु को छोड़ देता है जो आहार में विविधता जोड़ता है। भूख के हिसाब से खाना स्वस्थ रहने का आजमाया तरीका है।

इसलिए, जो कोई भी हेल्दी जीवन जीना चाहता है तो इसका मतलब है बीमारियों से मुक्त जीवन, डाइट ट्रेंड्स की कहानियों से हम यही सीख सकते हैं कि ये स्थायी नहीं है, यह कोई रामबाण भी नहीं है। ये अच्छे स्वास्थ्य के लिए कोई दीर्घकालिक समाधान नहीं है, और कभी-कभी तो इससे फायदे की बजाय नुकसान होता है। दरअसल अच्छे स्वास्थ्य का नुस्खा खाद्य उद्योग या अपने रोल मॉडल का अनुसरण करने में नहीं बल्कि हमारे घरों, रसोईघरों में छुपा है। लोगों को सोशल मीडिया पर फिटनेस विज्ञापन पर ध्यान देने की बजाय घरों में अपनी दादी-नानी और बाहर अपने अन्नदाता किसानों को सुनना चाहिए। क्योंकि यही वो लोग हैं जो हमारी फ़ूड सिस्टम की गहराईयों को न केवल वर्षों से देख समझ रहे हैं, बल्कि ये ही स्वास्थ्य ज्ञान के सच्चे वाहक हैं जिन्होंने अपनी आने वाली पीढ़ियों के लिए निःस्वार्थ भाव से निवेश किया है।

अच्छे स्वास्थ्य के लिए वोट करें

लोगों के लिए यह समझना बहुत ज़रूरी है कि स्वास्थ्य किसी एक व्यक्ति की जिम्मेदारी नहीं है बल्कि इसमें हमारी सरकारों और नीति निर्माताओं का भी बहुत बड़ा योगदान है। उदाहरण के लिए, वैज्ञानिक शोधों से यह बात अब स्पष्ट हो

चुकी है कि, गैर छुआछूत बीमारियाँ जैसे, मधुमेह, कैंसर, हृदय रोग, इत्यादि के लिए प्रदूषण एक सबसे बड़ा कारक है। तो ऐसी परिस्थिति में आप स्वस्थ रहने के लिए कितना भी अच्छा खाना खायें, धूम्रपान न करें, शराब न पियें, रोजाना व्यायाम करें, समय पर पर्याप्त नींद लें, मतलब आप सारे जतन कर लें तो भी इस बात की गारंटी नहीं है कि आप इन बीमारियों से बच जायेंगे क्योंकि आप जिस शहर में रहकर खुद को स्वस्थ रखने के लिए इतनी मेहनत, कर रहे हैं वो शहर ही बहुत प्रदूषित है। दूसरा उदाहरण है बच्चों को लक्ष्य करके दिखाने वाले जंक फ़ूड के विज्ञापन और स्वास्थ्य पर पड़ने वाले इसके नकारात्मक असर का। यहाँ हमारी सरकारें और नीति निर्माता, प्लास्टिक पर प्रतिबन्ध या उसे नियन्त्रित कर, जंक फ़ूड पर कर लगाकर, ताजा भोजन के लिए ग्रामीण-शहरी सम्पर्क को सुविधाजनक बनाकर, शहरों में आम जन के लिए फुटपाथ बनाकर, और हरियाली बढ़ाकर एक बड़ी महत्वपूर्ण भूमिका निभा सकते हैं। तो यहाँ एक आम आदमी की भूमिका क्या हो सकती है? यही कि आप जिन्हें अपना वोट देकर चुनते हैं उनसे ऐसी नीतियों को बनाने और उसे लागू करने की माँग कर सकते हैं, तभी अच्छे स्वास्थ्य के लिए किया गया आपका कोई भी प्रयास कामयाब होगा।

व्यक्तिगत स्तर पर आप अपने और अपने परिवार के स्वास्थ्य

के लिए बहुत कुछ कर सकते हैं। और यहाँ पर यह किताब आपका मार्गदर्शन करेगी। लेकिन कोई भी इस निर्णय पर कैसे पहुँचेगा कि, वो जो आहार ले रहा है, व्यायाम कर रहा है या अपने हिसाब से सन्तुलित जीवनशैली जी रहा है उसे अच्छे स्वास्थ्य की ओर ले जायेगी? अच्छे स्वास्थ्य के बारे में जो हमारे पारम्परिक ज्ञान है सौभाग्य से आज का आधुनिक पोषण विज्ञान भी वही कह रहा है।

मैंने तीन बहुत आसान नियम बनाए हैं जिससे आप खुद का मूल्यांकन करते हुए इस निर्णय पर पहुँचेंगे कि आप जो कुछ भी कर रहे हैं, जैसी जीवनशैली जी रहे हैं वो आपके अच्छे स्वास्थ्य के लिए ठीक है या नहीं।

ये तीन नियम हैं

1. **मेटाबोलिक हेल्थ के पैरामीटर्स बनाम वजन घटाना**—डाइट के नये चलन, प्रचलन भी जब नये-नये नाम के साथ आते हैं तो उनका भी मूल आधार वही रहता है जो पुरानी चीजों का था—वजन कम करना। बस लोगों को लुभाने के लिए इसमें कुछ नये भड़काऊ शब्द जैसे, डीटॉक्सिफाय, मधुमेह रोधी, कैंसर रोधी आदि को जोड़ा गया है, खैर बाजार में अभी जितने भी डाइट ट्रेंड्स

फल-फूल रहे हैं उनका भी एक ही मकसद है, वजन कम करना। क्या आपने कभी डाइट ट्रेंड का ये नारा सुना है? 'खाद्य सुरक्षा सबके लिए', नहीं ये कहते हैं बेहतर हाजमा और गैस से छुटकारा? असल में करोड़ों अरबों डॉलर का खाद्य पदार्थ उद्योग लोगों का ध्यान सिर्फ वजन कम करने पर केन्द्रित रखना चाहता है ताकि उनके मुनाफे का धंधा लगातार चलता रहे।

लेकिन हम अपने रोजाना जीवन में जो देखते हैं, क्या वो हमारे लिए, हमारे अच्छे स्वास्थ्य के लिए चीजें मायने रखती हैं जिन्हें हम वजन या किसी पैमाने पर माप नहीं सकते, जैसे क्या हम रात को अच्छी नींद लेते हैं, क्या हम सुबह उठकर तरोताजा महसूस करते हैं, क्या दिन भर हमारे अन्दर एक जैसी ऊर्जा रहती है, क्या हमें गैस, पेट फूलने या अपच की समस्या होती है, क्या खाने के बाद मीठा खाने की बहुत इच्छा होती है या जकड़न महसूस होती है, क्या हम सक्रिय रहने और समय पर व्यायाम करने में सक्षम हो पाते हैं, क्या माहवारी के दौरान हमें दर्द होता है इत्यादि?

विज्ञान की भाषा में ये पैरामीटर्स मेटाबोलिक हेल्थ के मापक हैं। यह सब इस बात की ओर इशारा करते हैं कि आपके हार्मोन्स कैसे काम कर रहे हैं, आपका स्वास्थ्य कैसा है,

आपकी आँतों के जीवाणु की विविधता कैसी है, खून में चीनी की मात्रा नियन्त्रित है या नहीं इसके अलावा और भी बहुत सारी चीजें इससे मापी जा सकती हैं। दूसरे शब्दों में कहें तो ये आपके शरीर में गैर छुआछूत बीमारियों जैसे, मधुमेह, कैंसर, दिल की बीमारियाँ, थायरॉयड, मानसिक स्वास्थ्य, जैसी संवेदनशीलता को भी दर्शाते हैं। यहाँ ध्यान देने योग्य तथ्य है कि दुनियाभर में असमय होने वाली मौतें 75 प्रतिशत इन्हीं गैर छुआछूत बीमारियों से होती हैं।

अच्छी आहार प्रवृत्तियों के प्रसार के बावजूद सार्वजनिक स्वास्थ्य के बिगड़ने का सबसे बड़ा कारण है आजकल लोगों के अन्दर आइडियल हेल्थ की कीमत पर वजन कम करने की प्रवृत्ति। प्रचार-प्रसार, दिखावे और सोशल मीडिया के इस दौर में अब अच्छे स्वास्थ्य के लिए अच्छे खान-पान की प्रवृति से हटकर सारा ध्यान आइडियल हेल्थ से वजन कम करने पर चला गया है।

आपकी वजन नापने वाली मशीन आपको क्या नहीं बताती

शरीर का वजन मोटापे या आप कितने चुस्त-दुरुस्त हैं इसका इंडिकेटर नहीं है। यह सिर्फ इस बात का संकेत है

कि बकरा कितने में कटेगा। मैडम हमारे पास नये साल का एक शानदार पैकेज है, आपको पैसे सिर्फ 5 किलो वजन घटाने के देने हैं हम उस पर आपको 2 किलो और फ्री में कम कर देंगे। वजन घटाने की मशीन बाजार और बेचने वाले के केवल इसी उद्देश्य को पूरा करती है। इसलिए पहले दिन से ही मैंने कभी इस काम में इस मशीन का प्रयोग नहीं किया। और मुझे ख़ुशी है कि मेरे कुछ क्लाइंट्स ने इस विचार को पसन्द किया। इसके पहले वो जहाँ भी गयी थी, वहाँ उसे अपना वजन कम न करने के लिए काफी डाँट सुननी पड़ी थी और फिर उसे अगली बार बुलाने के पहले तक बहुत ज़्यादा व्यायाम (जिसमें ज़्यादा टहलना शामिल था), बहुत कम खाने की एक तरह से कठिन सजा दी गयी। और जब वो मेरे पास आयी तो उसने कहा 'इधर आकर बहुत सुकून महसूस कर रही हूँ'।

वजन कम करने के लिए दी जाने वाली ज़्यादातर डाइट्स में आपको कम पानी पीने या मसल्स और हड्डियों से सम्बन्धित कुछ अजीब तरह के समझौते करने पड़ते हैं। इसलिए जब आप ऐसी रूटीन को फॉलो करते हुए वजन कम करने की ओर बढ़ते हैं तो आप कमजोर और चिड़चिड़े भी हो जाते हैं। और ऐसे में जब आपके आसपास के लोग आपसे कहते हैं कि आप कमजोर दिख रही हैं तो आपको लगता कि ये आपसे जलन महसूस कर रही/रहे हैं क्योंकि

दो महीने में आपने अपना वजन 7 किलो घटा कर छरहरी काया पा ली है।

सामान्यत: लोगों का वजन बीमारी में, युद्ध के दौरान, या फिर डिप्रेशन की वजह से कम होता है। लेकिन जैसा कि वजन कम करने के अपने सीक्रेट में करीना कपूर कहती हैं बिना किसी तनाव के मुस्कान के साथ, बिना मनपसन्द खाने को छोड़े, बिना बेचैन हुए और बिना जीवन के सारे मजे छोड़कर वजन कम किया जा सकता है। इसका सार केवल इतना है कि आपको अपना वजन कम करने के लिए किसी के द्वारा तय पैमाने पर नहीं चलना है।

इसके बाद भी अगर आप मुझसे यह पूछेंगी कि फिर वजन नापने का पैशन और फैशन कम क्यों नहीं हो रहा? तो ऐसा इसलिए क्योंकि यह अब कारोबार के लिए अच्छा है। वजन घटाने के कारोबारी, खाद्य, दवाई, मीडिया उद्योग सभी को खिलाते हैं और इस धंधे में फिर सब मिलकर खाते हैं। वास्तव में अब यह उद्योग अपने जाल को हर जगह मजबूती से फैला रहे, वरना क्या वजह है कि सर्च इंजन और तकनीक की विशालकाय कम्पनी गूगल फिटबिट को खरीद ले? उद्योग अब हर चीज को नम्बरों से मापने लगा है, क्योंकि इन्हीं नम्बरों में इनका विशाल मुनाफा छिपा है, आप कितने कदम चले, दिन भर में कितनी कैलोरी कम की, आपके हृदय की धड़कन सब कुछ इनके रडार पर है।

2. **फिटनेस के लिए ऑल राउंड बनाम एक तरफ़ा सोच**—एक बार जब हम वजन घटाने से अपना ध्यान हटाते हैं तब हमें पता चलता है कि स्वस्थ शरीर के कई अन्य पहलू भी हैं, जैसे होर्मोन्स, मांसपेशियाँ, हड्डियाँ, त्वचा, बाल, लिगामेंट्स, और भी बहुत कुछ। और ये सब अलग-अलग काम नहीं करते बल्कि सब एक दूसरे पर निर्भर हैं। तो इसलिए यह स्वाभाविक हो जाता है कि आप शरीर के किसी एक भाग पर केन्द्रित न रहकर समूचे शरीर पर ध्यान केन्द्रित करें तभी आप स्वस्थ रह सकते हैं। आपने किसी भी डाइट, उत्पाद के प्रचार में ये टैगलाइन नहीं देखी होगी—एक्सरसाइज ज़रूरी नहीं है सिर्फ टहलें; कोई भी जिम वाला आपसे ये नहीं कहेगा कि जो मर्जी हो वो खायें, बस चर्बी घटायें; कोई भी लाइफ स्टाइल बिना अच्छी पर्याप्त नींद के पूरी नहीं कही जा सकती।

आपका खान-पान, व्यायाम और इसके साथ अच्छी, पर्याप्त नींद ये सब मिलकर ही अच्छे स्वास्थ्य की नींव रखते हैं। और इन सबके लिए एक ऑल राउंड एप्रोच आवश्यक है जैसे आप अपने खाने को कार्बोहाइड्रेट, प्रोटीन, वसा में न बाँटें; आपकी गतिविधियाँ और व्यायाम सिर्फ टहलने या कार्डिओ (एक्सरसाइज़) तक न सीमित हो जाये। आप हफ़्ते में देर तक सोने की बजाय रोजाना

अच्छी नींद लें। इसके अलावा आपके रोजाना जीवन में, आपके काम, यात्रा, पारिवारिक जिम्मेदारियों जो तनाव लाती हैं वो भी अच्छे स्वास्थ्य के समाधान या समस्या के लिए बहुत मायने रखती हैं, और इस तरह की समस्याओं के साथ कोई भी आहार या किसी तरह का व्यायाम पैटर्न सफल, कारगर साबित नहीं होता है। जैसे कुछ पेशे ऐसे हैं जिसमें दिनभर आपको मानसिक, शारीरिक ऊर्जा की ज़रूरत होती है, और इसमें अगर आप लम्बे समय तक भूखे रहते हैं या दिन में सिर्फ दो बार ही खाना खाते हैं तो इसका असर, कमजोरी, सर दर्द, माहवारी में उतार-चढ़ाव, गैस, जोड़ों में दर्द आदि के रूप में सामने आता है।

मानव भुखमरी का जीव विज्ञान—

दूसरे विश्व युद्ध के दौरान जब यूरोप तबाह हुआ तब सबसे ज़्यादा मौतें भूख से हुई थीं। लगभग समूची आबादी भूखी मर रही थी और भुखमरी के शारीरिक प्रभाव की वैज्ञानिक जानकारी उपलब्ध नहीं थी। अमेरिका के मिन्नेसोटा शहर के वैज्ञानिक एँसेल कीज (जिन्हें आधुनिक पोषण विज्ञान का पिता कहा जाता है) ने इस भुखमरी के प्रभावों पर एक

अध्ययन किया। 1944 में उन्होंने करीबन एक साल के लिए कुछ स्वस्थ युवाओं को बतौर वालंटियर्स नियुक्त किया जो तीन भागों में बांटे गये—पहले तीन महीने प्रतिभागियों के सामान्य खान-पान का ऑब्जरवेशन, अगले छह महीने तक भूखमरी और अन्त के तीन महीने रिहैबिलिटेशन। यहाँ जो गौर करने वाली सबसे रोचक बात रही वो थी, भुखमरी का झूठा नाटक करना, प्रतिभागियों को दिन में केवल दो बार खाने को दिया जाता। इस खान-पान के साथ नियमित दिनचर्या भी थी जिसमें रोजाना 7, 8 किलोमीटर पैदल चलना भी था।

भुखमरी के झूठे नाटक के दौरान जिसमें केवल दो वक्त का खाना दिया जाता था, प्रतिभागियों ने एक सप्ताह के अन्दर ही भयानक कमजोरी महसूस होने की बात कही। वे बूढ़े, लगातार थके हुए और हर समय चिड़चिड़ा महसूस करते थे। वे मानसिक उदासीनता (मेंटल अपाथी) से पीड़ित हो गये थे, ऐसी स्थिति में व्यक्ति अपने रोजाना के जीवन में हर चीज यहाँ तक कि सेक्स से भी विरक्ति महसूस करने लगता है और केवल भोजन के प्रति ऑब्सेस्ड हो जाता है। उनका मेटाबॉलिज्म काफी धीमा हो गया था और वो रोजाना की बजाय सप्ताह में एक बार मल त्याग करने लगे। उनके शरीर में रक्त की मात्रा 10 प्रतिशत तक कम हो गयी थी, चेहरे, एड़ियाँ, घुटने सब सूज गये थे और हृदय का आकार

सिकुड़ गया था। इस समूची प्रक्रिया का सबसे डरावना पहलू था प्रतिभागियों को यह एहसास कि वो दुबले कमजोर दिखने की बजाय बहुत मोटे लग रहे थे। बाद में शोधकर्ताओं ने यह गौर किया कि यह खुद को मोटा महसूस करने वाली ही एक मानसिकता है। छह महीने में औसतन सबका वजन 25% तक कम हो गया था, वो भी तब जब इनमें से कोई भी एक महीने पहले तक अधिक वजनी नहीं था।

जब यह शोध ख़त्म हुआ तो कुछ प्रतिभागियों ने यह बताया कि वो सामान्यत: जितना पहले खाते थे अब उससे पाँच गुना ज़्यादा खा रहे हैं। कुछ वर्षों बाद उन्होंने बताया कि वो चाहे कितना भी खा लें उन्हें हमेशा ऐसा लगता है कि वो भूखे हैं। यह अध्ययन पोषण विज्ञान के क्षेत्र में मील का पत्थर साबित हुआ जो 1951 में दो भागों में 'मानव भुखमरी का जीव विज्ञान' शीर्षक से प्रकाशित हुआ।

इस अध्ययन में जिन वालंटियर्स ने भाग लिया था उन्होंने यह सब, विज्ञान, भुखमरी से प्रभावित लोगों और अपने साथियों के लिए किया था। इस अध्ययन को वो अपने जीवन का सबसे बुरा वक्त बताते हैं।

3. **लम्बे बनाम छोटे काल के समाधान**—सस्टेनेबल हेल्थ का दूसरा पहलू, जो सस्टेनेबल शब्द के अर्थ में बनाया

गया है, का मतलब है लॉन्ग टर्म हेल्थ का कांसेप्ट। जब भी आप खाना पसन्द करते हैं या फिर एक प्रचलित डायट को अपनाने की कोशिश करते हैं, तो जो पहला सवाल आपके जेहन में आता है वो यह कि—क्या मैं इसे जीवनभर जारी रख पाऊँगा और क्या मैं अपने बच्चों को भी इस तरह का खाना खाते हुए देखकर खुश होऊँगा। अगर ऐसी चीजें आपके समझ से बाहर हैं कि अगले 15 साल या फिर अगले 5 साल भी क्या आप इसे जारी रख पायेंगे, अगर नहीं तो फिर सोचिये कि आप इसे क्यों करना चाहते हैं। तुरन्त वजन कम करने के चक्कर में आप बहुत सारे लॉन्ग टर्म परेशानियों बीमारियों को अपने शरीर में निमंत्रण दे रहे हैं।

एक तरफ़ हमारा शरीर है जो शॉर्ट टर्म मेजर्स को जल्दी ग्रहण नहीं कर पाता या यूँ कहें कि उसे थोड़ा समय लगता है दूसरी तरफ हमारा दिमाग है जो तुरन्त प्रतिक्रिया देता है। बस वजन घटाने वाला उद्योग हमारे इसी क्विक रेस्पॉन्सिव दिमाग को अपने फायदे के लिए इस्तेमाल करता है, इससे बचने का एक ही उपाय है कि आप उपरोक्त बातों को हमेशा याद रखें कि मुझे इस जाल में नहीं फँसना है। 10 दिनों में वजन घटाएँ यानि क्विक रिजल्ट, ये ऐसी पंचलाइन है जिसे इस क्षेत्र का उद्योग बतौर हथियार इस्तेमाल करता

है। और जब आप जल्दी रिजल्ट पाने के चक्कर में पड़ जाते हैं तो आपके शरीर में धीमे-धीमे गिरावट आनी शुरू होती है कभी-कभी इसका असर उल्टा दिखता है। हम यह सोच भी नहीं पाते कि पाँच साल पहले हमने महीने भर के लिए जो लिक्विड डाइट लिया था उसी वजह से आज लीवर ख़राब होने की नौबत आ पहुँची है।

अच्छे हेल्थ के लिए समझदारी वाला रास्ता चुनें— स्वास्थ्य किसी भी इंसान का प्राथमिक अधिकार है, वास्तव में यह मानवाधिकार का एक मुद्दा है। यहाँ तक कि न्यूयॉर्क जैसे शहर में स्थित ब्रोंक्स हेल्थ पैरामीटर्स पर मैनहट्टन की तुलना में गरीब हो सकता है। हम जहाँ रहते हैं वहाँ स्वास्थ्य सुविधाओं तक हमारी पहुँच, स्वच्छ हवा, ताज़ी फल, सब्जियाँ के साथ ही साथ शिक्षा, गरीबी, आदि बहुत सारी चीजें हमारे स्वास्थ्य को प्रभावित करते हैं। ब्रिटेन के न्यूकैसल विश्वविद्यालय द्वारा कराए गये एक रोचक अध्ययन में यह बात सामने आयी कि, स्वास्थ्य के पैमाने पर बायके शहर का प्रदर्शन जेसमोंड की तुलना में ख़राब था, यहाँ रोचक तथ्य यह है कि बायके एक गरीब इलाका है जबकि जेसमोंड अमीर।

चलिए इंग्लैंड का उदाहरण तो थोड़ा दूर हो गया अपने ही देश में दिल्ली और पंजाब की रैंकिंग स्वास्थ्य के

मामले में सबसे ख़राब है। इन शहरों के प्रदूषण स्तर पर एक नज़र डालने से आपको पता लग जायेगा यहाँ स्वास्थ्य के हालात इतने बुरे क्यों हैं। अब आपका देश नहीं बल्कि आपके शहर या जिले का पिनकोड यह बताता है कि आपके शहर में स्वास्थ्य का स्तर कैसा है। यहाँ गौरतलब है कि किसी अच्छे खासे शहर की अधिकांश गरीब, मलिन बस्तियाँ ही बीमारियों या ख़राब स्वास्थ्य का बोझ ढो रही हैं।

दूसरी तरफ अमीर तबका यह सोचता है कि वो सिर्फ दो वक्त खाकर योगी बन जायेगा या उनके वृद्धि हॉर्मोन की दर में 200% का उछाल आ जायेगा या मांस खाने से वो मसाई (उत्तरी तंजानिया, तथा मध्य और दक्षिण केन्या में निवास करने वाली जनजाति) जैसे बन जायेंगे। मसाई देखा है क्या मसाई? मेरे क्लाइंट ने पूछा। कितने फिट रहते हैं वो लोग खाली मीट खाते हैं। देखो बॉस हम सुनहरी दुनिया (ला लॉ लैंड) में रहते हैं जहाँ लोगों को लगता है कि मांस खाने से हम मसाई जैसे बन जायेंगे—ऐसा सम्भव नहीं है। आप मर्सीडीज़ में घूमते हैं, आपके पीए आपका लैपटॉप लेकर जाते हैं जिसे आपकी इंटर्न चार्ज में तब भी लगाती है जब वो खाना खा रही होती है। और मसाई? वो समूचे जंगल में घुम्मकड़ी करते हैं, शेर चीते जैसे खूंखार

जानवरों के खतरे के बीच शिकार करते हैं, झोपड़ी में रहते हैं, मीलों तक गाय चराते हैं (उनके पास स्टेप्स नापने के लिए फिटबिट बेंड नहीं होता) तो ऐसा है कि आप कितना भी मीट खा लें आप मसाई नहीं बन सकते, खैर छोड़िये अभी आप 43 के हैं, और मसाइयों का औसत जीवनकाल 42 साल का होता है। और ये मत भूलिए कि वो कितना कठिन जीवन जीते हैं और खाना जुटाने के लिए कितनी मुश्किलें झेलते हैं।

कीटो या वेगन?

हाल ही में एक खबर सामने आयी थी, जिसमें यह दावा किया गया कि मांस खाना स्वास्थ्य के लिए हानिकारक नहीं है जैसा कि अब तक बता कर डराकर भ्रम फैलाया जा रहा था। इस टीम के वैज्ञानिकों ने उसी आँकड़े का अध्ययन किया जिसमें यह दावा किया गया था कि मांस के सेवन को सीमित करना चाहिए और पाया कि शोध के यह परिणाम सांख्यिकीय रूप से सही नहीं हैं। कीटो समुदाय को इस रिसर्च के बाद खुशी हुई तो वहीं दूसरी तरफ वेगन समुदाय के पास भी खुश होने के लिए बहुत कुछ था। डॉक्यूमेंट्री, गेम चेंजर्स सफलतापूर्वक एक बार हार्ड-कोर मांस खाने वालों को शाकाहार में परिवर्तित कर रहा था। यहाँ तक कि

विराट कोहली ने भी ट्वीट कर यह बताया था कि शाकाहारी होने या अपनाने के बाद वह खुद कितना बेहतर महसूस करते हैं और इन वर्षों में उनका इस खाने को लेकर कैसा मिथक था।

रोजाना ही बहुत सारे ऐसे प्रभावशाली, प्रसिद्ध लोग जो पहले कीटो थे अब वेगन बन रहे हैं और अपने द्वारा लिये जाने वाले पहले के आहार को कोस रहे, अपमानित कर रहे। इन प्रसिद्ध लोगों के बीच फिर आम लोग इस कीटो और वेगन के भ्रम में कहाँ टिकते हैं? इस सवाल के जवाब में मैं कहूँगी काफी अच्छी जगह में। जो अभी इस तरह की चीजों में नये या शुरुआती दौर में हैं उनके लिए यह जानना बहुत ज़रूरी है कि खान-पान भी लोगों की संस्कृति जितनी ही विविध है और जो भी हम खाते हुए बड़े होते हैं वो हमारी सोच-समझ को भी प्रभावित करता है इसका हमारे जीवन पर बहुत गहरा प्रभाव पड़ता है। बिना हमारे जीवन को कठिन बनाते हुए भोजन न केवल हमारे शरीर को पोषण देता है बल्कि यह सांस्कृतिक और जलवायु की दृष्टि से भी संवेदनशील है।

यह केवल मांस के बारे में नहीं है बल्कि इसे एक सस्टेनेबल तरीके से खाने में है जिससे हमारे शरीर और पृथ्वी दोनों को कोई नुकसान न हो। तो अगर आप पारम्परिक तरीके से मीट खाने वाले समुदाय से हैं तो इसे अधिकतम हफ़्ते में

दो से तीन बार चावल या भाखरी या सब्जी के साथ खाइये जैसा कि आपकी दादी माँ ने आपको सिखाया था। और यदि आप शाकाहारी हैं तो बिना प्रोटीन की चिन्ता किये चावल, दाल, भाखरी, सब्जी खाइये जैसा कि आपकी दादी माँ खाया करती थीं। और अगर आप इस बात से डरकर डेयरी उत्पाद नहीं खाते हैं तो गायों के साथ ठीक व्यवहार नहीं होता, उसे उचित आहार नहीं खिलाया जाता तो यह कम्पनियों के दुग्ध उत्पादों के बारे में तो ठीक है लेकिन भारत में लाखों करोड़ों गाय पालने वाले किसानों के बारे में नहीं। हमारे पास अभी भी शुद्ध और सस्ते दामों पर इनकी पहुँच है इसे बादाम या सोया मिल्क के लिए मत त्यागिये। और हाँ इतनी बड़ी आबादी के लिए बादाम दूध के उत्पादन में पारिस्थितिकी और भूमि अपकर्षण का जो नुकसान होगा उसका क्या?

तो कीटो और वेगन का उत्तर क्या है? उपरोक्त में से कुछ भी नहीं। वो खायें जो खाते हुए आप बड़े हुए हैं।

नोट : सभी डाइट ट्रेंड्स और भोजन से सम्बन्धित सुर्खियाँ उद्योग समर्थित हैं।

याद रखें कि दिन के अन्त में, अन्त का साधन अपने आप में अन्त से बहुत अधिक महत्वपूर्ण है। कम से कम योग, आयुर्वेद और कर्म हमें यही सिखाते हैं। उदाहरण के लिए शीर्षासन

की क्रिया में उतरने से ज़्यादा महत्वपूर्ण यह है कि आप वहाँ पहुँचे कैसे। क्या आप वहाँ अपने अन्दर की ऊर्जा और शक्ति से पहुँचे या फिर गिरने के डर से? क्या आप जल्दीबाजी में खुद को दीवार के खिलाफ खड़ा कर लेते हैं या शरीर को स्थिर रहने के लिए सिखाते हैं, जैसे कि दुनिया उल्टी हो जाती है, भले ही आपको वहाँ पहुँचने में एक साल लग जाये। क्या आपको मकड़ी के जाले वाली कहानी याद है जिसमें मकड़ी धीरे-धीरे घूमती है और राजा को बचाते हुए भी उसे जीवन भर का पाठ पढ़ाती है?

आइये अब शीर्षासन के उदाहरण को आगे बढ़ाते हैं। इसे सही तरीके से करने में आपको एक साल लग सकता है लेकिन फिर इसका प्रभाव आगे आने वाले जीवन पर भी दिखेगा और इस जीवन में यह आपको सिखायेगा कि जब आपका उबर ड्राइवर अचानक से ब्रेक लेता है तो आप अपनी रीढ़ को कैसे स्थिर रखें, यह आपको सिखायेगा कि जब आपकी एड़ी में अकड़ या घुमाव आ जाये तो अपनी पिंडली को कैसे विस्तार दें। यह आपकी पाचन क्रिया को स्थिर रखेगा, आपके पीछे रहकर आपको हरेक चीज में आगे बढ़ायेगा। यह अवचेतन में सीखने और इसके लाभों को और आगे ले जाकर इसमें आपके द्वारा लगाए गये समय के औचित्य को सही ठहरायेगा। इसमें जल्दीबाजी करने से आपको ऐसा लगेगा कि यह आपको मिल

गया है लेकिन यह आपके लगातार गिरने के भय से आता है और इसका कोई लाभ नहीं है।

आधुनिक इतिहास में, क्यूबा एकमात्र ऐसा देश था जहाँ सारी जनसंख्या का सामूहिक (सभी वयस्कों का औसत) रूप से वजन कम हुआ था। यह 1990 के शुरुआती दशक की बात है, सोवियत संघ के विघटन के बाद क्यूबा के लोगों का औसत कैलोरी उपभोग 3000-3200 से गिरकर 2400 कैलोरी पर आ गया था। अमेरिका द्वारा लगाई गयी पाबन्दियों के कारण खाने पीने और ईंधन की कमी हो गयी थी यहाँ तक कि सार्वजनिक बसों का परिचालन भी रुक गया था। तब क्यूबा के तत्कालीन राष्ट्रपति फिदेल कास्त्रो ने इसे पेरिडो इस्पेशल (विशेष अवधि) कहा था। इस काल ने खाद्य पदार्थों की राशनिंग, छोटे पैमाने पर बागवानी को बढ़ावा देना और दस लाख से अधिक चीनी-निर्मित साइकिलों का वितरण देखा। आश्चर्य नहीं कि इस अवधि में क्यूबा के लोगों का औसत वजन साढ़े पाँच किलो कम हुआ और मधुमेह तथा हृदय रोग का राष्ट्रीय औसत भी गिरा। तब ब्रिटिश मेडिकल जर्नल ने इस अद्भुत घटना को कवर करते हुए इस बात पर प्रकाश डाला था कि कैसे कम खाने और ज़्यादा चलने फिरने को जनसंख्या-आधारित हस्तक्षेप के रूप में इस्तेमाल किया जा सकता है।

लेकिन जैसे ही नई शताब्दी में क्यूबा की अर्थव्यवस्था में उछाल आया 1995 से 2011 के दौरान मोटापे की दर तीन गुणा बढ़ गयी। खाने पीने और ईंधन की किल्लत दूर हुई तो मधुमेह और हृदय रोगियों की संख्या भी बढ़ गयी। लेकिन किसी क्यूबन से अगर यह पूछा जाय कि क्या वो वापस उस दौर में (नब्बे के दशक) जाना चाहते हैं तो कोई भी हाँ नहीं कहेगा। यहाँ तक कि ब्रिटिश जर्नल के जिन लेखकों ने इस घटना के बारे में लिखा था वो भी इस निष्कर्ष पर पहुँचे कि वह घटना मानव निर्मित (अन्तर्राष्ट्रीय राजनीति) थी और ऐसा किसी देश की जनसंख्या के साथ नहीं होना चाहिए। उन्हें उस गरिमा और साहस के लिए बहुत प्रशंसा मिली जिसके साथ क्यूबन्स ने 'विशेष अवधि' की सामाजिक और आर्थिक चुनौतियों का सामना किया था।

चलिए घर की बात करते हैं, कश्मीर के लोगों को अक्सर इंटरनेट की सुविधा नहीं मिलती है। अगर आप एक बड़ी जनसंख्या पर इसका अध्ययन करेंगे तो पायेंगे कि यहाँ के लोगों का टीवी, मोबाइल आदि देखने में कम समय जाता है (मजबूरन ही सही) जिसका अच्छा प्रभाव उनके टेक नेक पोस्चर, पीठ दर्द की समस्या से निजात, और अच्छी नींद के रूप में सामने आया है। लेकिन एक बार जब इंटरनेट की सामान्य बहाली हो गयी तो कोई भी कश्मीरी इंटरनेट

के इस्तेमाल को रोकेगा नहीं जिससे उनका स्क्रीन पर समय बिताना कम हुआ था और जिसके अच्छे प्रभाव सामने आये थे।

संक्षेप में मेरे कहने का मतलब है कि बिना किसी पाबन्दी के अपने स्वास्थ्य को ठीक रखने का एकमात्र तरीका इसके प्रति आपको थोड़ी समझदारी और सस्टेनेबल रुख अपनाना ही है साथ ही आत्मनियन्त्रण और शिक्षा भी ज़रूरी है। यह फिटनेस प्रोजेक्ट के लिए भी नींव तैयार करता है। आप अपने दिशानिर्देशों के मालिक खुद हैं इसलिए उसी दिशा में काम करें रोजाना न कि केवल एक दिन। कछुआ बनो, खरगोश नहीं। बात सिर्फ वजन कम करने की नहीं है बल्कि इसे सही और सस्टेनेबल तरीके से करने की है। आइए पन्नों को पलटिये और शुरू हो जाइये।

अध्याय तीन

बारह दिशानिर्देश

बारह हफ़्तों के दिशानिर्देशों को निम्नलिखित भागों में बाँटा जा सकता है :

1. **भोजन और खाने का अभ्यास आधारित**—यह गाइडलाइन्स आपको स्थानीय और सांस्कृतिक रूप से प्रचलित खाद्य पदार्थों को शामिल करने और आपको वैसा खाना खाने के लिए कहेगा जो वर्षों से खाया जा रहा है। इस गाइडलाइन्स के साथ आपको सही तरीके से खाने के लिए तीन एस, सिट, साइलेंस और सेंसेस का भी अभ्यास करना होगा। जहाँ भी सम्भव हो, खाने के लिए सुख-आसन में बैठ जायें, शान्त जगह पर खायें और चम्मच की बजाय हाथ का प्रयोग करें।

2. **शारीरिक गतिविधि और व्यायाम पर आधारित**—ये दिशानिर्देश आपको अपने जीवन में एक इंजीनियर की

तरह गतिशील और रोजाना व्यायाम करने की प्रेरणा देंगे। ये इस बात पर रौशनी डालते हुए आपको बतायेंगे कि गतिविधि और व्यायाम में फर्क है और दोनों आपके अच्छे स्वास्थ्य के लिए कितने महत्वपूर्ण हैं।

3. **रोजाना की आदतें**—इन गाइडलाइन्स में हम आपको गैजेट्स के हानिकारक परिणाम खासकर नींद और स्वास्थ्य लाभ पर साथ ही रोजाना के जीवन में भोजन और पानी के साथ प्लास्टिक के सम्पर्क को कम करने के बारे में भी बतायेंगे।

इससे पहले कि हम दिशा-निर्देशों के साथ शुरुआत करें, उन्हें अपने दैनिक जीवन में कैसे लागू किया जाये, इस पर एक संक्षिप्त टिप्पणी।

1. दिशानिर्देशों का पालन करना

बारह हफ़्तों के दिशानिर्देशों के पालन करने का सबसे अच्छा तरीका है इसे क्युमुलेटिव तरीके से करें। जैसे दूसरे हफ़्ते में पहले हफ़्ते के साथ-साथ, दूसरे हफ़्ते का पालन, तीसरे हफ़्ते में पहले हफ़्ते के साथ दूसरे हफ़्ते और तीसरे हफ़्ते का पालन और इसी तरह आपको आगे भी करते जाना है। यह तरीका आसान है जो आपको सस्टेनेबल (स्थायी) तरीके से अपनी दिनचर्या में बदलाव की ओर ले

जाता है और इस परियोजना के सभी प्रतिभागियों पर अच्छे तरीके से विश्वसनीय और जाँचा-परखा हुआ है। आप एक सप्ताह में एक बार में सभी 12 दिशानिर्देशों का पालन करना शुरू कर सकते हैं, लेकिन यह बहुत चुनौतीपूर्ण और कष्टदायक हो सकता है। इस पूरी गाइडलाइन्स का मकसद है इसे आपके जीवन और दिनचर्या में शामिल कर लम्बे समय तक इस पर टिके रहना।

2. सलाह को आपकी पसन्द, रुचि के अनुसार बनाना

इन दिशानिर्देशों की प्रकृति बहुत सामान्य है। आपको सलाह की तह में जाकर आदतों को सुधारना होगा। यह बहुत सारी चीजों पर निर्भर करेगा जैसे आपके खाने की पसन्द-नापसन्द, आप कहाँ रहते हैं, मौसम और जलवायु, आपके काम करने के घंटे, परिवार के प्रति आपकी जिम्मेदारी, व्यवाहरिकता आदि। इस गाइडलाइन्स में जहाँ तक सम्भव हो कई विकल्प दिये गये हैं और इनमें से आप वो चुन सकते हैं जो आपके लिए सबसे अच्छा हो या आप जिसे अच्छी तरह कर सकते हों। यहाँ खाने से सम्बन्धित गाइडलाइन्स में खाना बनाने की विधि नहीं दी गयी है आप अपने घर में स्वाद और सुविधानुसार खाना बना सकते हैं।

3. साप्ताहिक पालन

अगर आप किसी वजह से किसी एक हफ़्ते इन दिशानिर्देशों

का पालन नहीं कर सके तो इसमें परेशान होने की ज़रूरत नहीं है आप अगले हफ़्ते से सामान्य गाइडलाइन्स को जारी रख सकते हैं। यहाँ तक कि इस परियोजना के दौरान भी, हमने प्रतिभागियों से उनके द्वारा किये जाने वाले साप्ताहिक अनुपालन को निम्नानुसार नोट करने के लिए कहा—ज़्यादातर, 50-50, वास्तव में नहीं। यहाँ तक कि जिन लोगों ने कुछ हफ़्तों तक '50-50' या 'वास्तव में नहीं' का उल्लेख किया, लेकिन अपनी गति से कार्यक्रम जारी रखा, उनके स्वास्थ्य में भी अच्छा सुधार देखा गया।

4. प्रगति का मापन

आप अपने स्वास्थ्य की प्रगति का मापन निम्न तरीके से कर सकते हैं :

(अ) स्वास्थ्य मापदंडों को एक से पाँच के पैमाने पर मापें, जहाँ उच्च रेटिंग का मतलब है कि आप बेहतर कर रहे हैं।

स्वास्थ्य को मापने के पैरामीटर्स—दिन के दौरान आपकी ऊर्जा का स्तर, रात में नींद की गुणवत्ता, गैस/पेट फूलना/अपच, खाने के बाद मीठे की तलब, व्यायाम का पालन, पीरियड्स/पीएमएस के दौरान दर्द।

(ब) इंच में वजन घटना। इसे नाभि पर मापें। आप कमर से हिप तक के अनुपात में भी माप सकते हैं। यह कमर की परिधि द्वारा विभाजित नाभि पर हिप की परिधि है (आपके हिप का मापन सबसे व्यापक बिन्दु पर लिया गया है)।

(स) स्ट्रेंथ, फ्लेक्सिबिलिटी, स्टेमिना नापने के लिए होम फिटनेस टेस्ट। आप इन परीक्षणों के लिए आसानी से ऑनलाइन सलाह ले सकते हैं। सबसे ज़्यादा प्रचलित होम फिटनेस टेस्ट :

- सिट एंड रीच
- प्लैंक होल्ड
- स्टेप टेस्ट
- वॉल सीट टेस्ट

(द) आप इन पैमानों पर भी अपने स्वास्थ्य की प्रगति माप सकते हैं—HbA1C, एचडीएल, टीएसएच, विटामिन डी, विटामिन बी12

चार अलग-अलग समय पर अपनी प्रगति को मापें :

- गाइडलाइन्स की शुरुआत से पहले
- शुरुआत के एक महीने बाद
- शुरुआत के दो महीने बाद
- शुरुआत के तीन महीने बाद

पहला सप्ताह
दिशानिर्देश

दिशानिर्देश

अपने दिन की शुरुआत केले या किसी ताजे फल या भींगे हुए बादाम या भींगे हुए किशमिश से करें न कि चाय या कॉफी से

नोट

➤ इसके 10-15 मिनट बाद आप चाय, कॉफी ले सकते हैं

➤ भोजन से पहले केवल एक ग्लास सादा पानी पियें

➤ यह भोजन, जागने के बीस मिनट बाद लें या यदि आप थायरॉयड की गोली खाते हैं तो उसके बाद लें

➤ आप केला, बादाम, किशमिश खाने के 15-20 मिनट बाद योगा या व्यायाम आदि कर सकते हैं

➤ अगर आप योगा, व्यायाम आदि नहीं कर रहे तो इस अल्पाहार के एक घंटे के अन्दर नाश्ता ज़रूर कर लें

➤ सुबह आप जो पानी पियें वो बिल्कुल सादा होना चाहिए, उसमें नींबू, शहद या कोई और चीज न मिलायें

➤ जब आप किशमिश पानी में भिगोने के लिए रखें तो उसमें थोड़ा केसर भी मिला सकती हैं

क्यों?

- ☑ केला—उन सबके लिए जिन्हें पाचन की समस्या है या जिन्हें खाना खाने के बाद कुछ मीठा खाने की तलब होती है। ताजे और देशी केला खरीदें, बस एक बात का ध्यान रखें इसे एक हफ़्ते के लिए खरीदकर रखने की बजाय हफ़्ते में दो तीन बार खरीदें और प्लास्टिक बैग में लाने की बजाय कपड़े के थैले में घर लेकर आयें।
- ☑ केसर की एक दो चुटकी के साथ 7-8 भीगे किशमिश—उनके लिए जिन्हें लगता है कि वो पीएमएस से बहुत परेशान हैं, या दिन भर कमजोरी महसूस करती हैं।
- ☑ 4 से 6 छीले, भीगे हुए बादाम—अगर आपको इंसुलिन की समस्या है, आप मधुमेह, पॉलीसिस्टिक ओवरी सिंड्रोम (पीसीओडी) (एक ऐसी स्थिति जो आमतौर पर रिप्रोडक्टिव उम्र की महिलाओं में हॉर्मोनल असन्तुलन के कारण पायी जाती है। इसमें महिला के शरीर में मेल हॉरमोन—"एंड्रोजन" का स्तर बढ़ जाता है व ओवरीज़ पर एक से ज़्यादा सिस्ट हो जाते हैं।), प्रजनन क्षमता में कमी, नींद की समस्या है। पोषक तत्वों से भरपूर ममरा बादाम या देशी बादाम लें। पीसीओडी की समस्या से ग्रसित महिलाएँ माहवारी से 10 दिन पहले 7-8 किशमिश और 1.2 चुटकी केसर का सेवन करें।

पीसीओडी के लिए किशमिश और केसर

किशमिश, कब्ज, गैस और इसकी वजह से पेट में सूजन के लिए बहुत लाभदायक होता है। यह हमारा देशी नुस्खा या ज्ञान है, और इसमें जो सामग्री प्रयुक्त होती है वो सबके लिए सुलभ है। जिस तरह हमें, हल्दी, तुलसी, या सौंठ के फायदे मालूम हैं उसी तरह केसर भी बहुत सारे गुणों से युक्त है जैसे त्वचा के रंग में निखार, प्रजनन क्षमता में वृद्धि। इस फिटनेस प्रोजेक्ट के दौरान हमने आधुनिक बीमारियों, समस्याओं के निदान के लिए देशी नुस्खे का भरपूर प्रयोग करने की कोशिश की।

सुबह-सुबह किशमिश और केसर का मिश्रित सेवन सम्भवत: हमारे सबसे सफल दिशानिर्देशों में शुमार था। वो महिलाएँ जो वर्षों से कष्टदायक माहवारी से गुजर रही थीं उन्होंने इसके प्रयोग से, बेचैनी, गैस, पेट में जकड़न जैसी समस्याओं से बहुत राहत महसूस होने की बात बताई और कुछ ने तो जीवन में पहली बार दर्द रहित माहवारी का अनुभव किया।

यह किशमिश में मौजूद आयरन, मैग्नीशियम, विटामिन बी6, फाइबर और दोनों के सम्मिश्रण या केसर में मौजूद वोलेटाइल तेल की वजह से हो सकता है लेकिन इस देशी

नुस्खे के परिणाम या कहें इसका जादुई असर इसके नियमित प्रयोग में था। कम मात्रा में नियमित प्रयोग। कुछ दिनों के प्रयोग से इस नुस्खे ने खाने के बाद मीठा खाने की तीव्र इच्छा में भी काफी असर दिखाया।

अक्सर पूछे जाने वाले प्रश्न

प्रश्न : मुझे केला पसन्द नहीं है, मुझे क्या करना चाहिए?
उत्तर : कोई भी स्थानीय फल चुन लें जो उस मौसम में उपलब्ध हो।

प्रश्न : मैं तीनों समस्याओं से पीड़ित हूँ, मुझे केला, बादाम या किशमिश में से क्या खाना चाहिए?
उत्तर : सुबह के पहले आहार में वो खायें जो आपको सबसे ज़्यादा पसन्द है। इसके अलावा, आप बिना किसी झिझक के एक दिन केला, दूसरे दिन बादाम, तीसरे दिन किशमिश का प्रयोग करें। खान-पान के मामले में अनिवार्य रूप से आत्म-निर्भर होना सीखें, यही खेल है, दोस्त।

प्रश्न : मैं पीसीओडी से ग्रसित हूँ, मुझे क्या खाना चाहिए?
उत्तर : सामान्यत: भीगे हुए बादाम का सेवन करें पर माहवारी से 10 दिन पहले भीगे हुए किशमिश और केसर खाना शुरू कर

दें। और अगर आप माहवारी की तिथि का अनुमान नहीं लगा सकती हैं तो इनका सेवन तब शुरू करें जब आप चिड़चिड़ापन या सूजन महसूस करें।

प्रश्न : हमें बादाम भिगोकर क्यों खाना चाहिए?

उत्तर : भिगोने से इसमें मौजूद पोषक तत्व शरीर के अन्दर जाते हैं साथ ही फायटिक एसिड (जो कि जिंक जैसे खनिज पदार्थों को बाँधकर रखता है) के स्तर को नीचे लाकर शरीर को ज़्यादा पोषण देता है।

याद रखें कि फिटनेस एक समय में एक छोटी पहल लेकिन रोजाना अभ्यास से ही आयेगी। शरीर भी नियमितता को ही तवज्जो देता है, और जागने के 15 मिनट के अन्दर आपको दिन का पहला आहार लेना इस दिशा में एक बड़ा कदम है।

दूसरा सप्ताह
दिशानिर्देश

दिशानिर्देश

घी का सेवन करें बिना किसी डर, बिना किसी सन्देह, किसी अपराधबोध के। अपने नाश्ते, लंच और डिनर में एक चम्मच घी को शामिल करें।

नोट

शास्त्रों, पुराणों, आपकी दादी, नानी से लेकर यहाँ तक कि लंदन का प्रतिष्ठित समाचार पत्र संडे मेल और अमेरिका का क्लीवलैंड क्लिनिक, हर कोई घी की महिमा का गौरवगान कर रहा है। घी आपके जीवन से मृत्यु तक, बीमारी, स्वास्थ्य में यानि हर अच्छे-बुरे समय में आपका विश्वसनीय साथी है। घी को बरसों से खाद्य और वजन कम करने वाले उद्योगों यहाँ तक कि चिकित्सा और फार्मा उद्योग द्वारा स्वास्थ्य के लिए बुराई और खलनायक के तौर पर प्रचारित किया जाता रहा लेकिन घी और सत्य की हमेशा जीत होती है।

➢ आप पहले हफ़्ते से दिन का जो पहला आहार ले रहे हैं उसके 20 से 90 मिनट के बाद नाश्ता कर सकते हैं।

➢ अगर आपको खाने के बाद कुछ मीठा खाने की तलब होती है या दोपहर में कमजोरी महसूस करते हैं जिसमें आपको लगता है कि आप अपनी पूरी ऊर्जा या क्षमता का 50% ही काम कर पा रहे हैं तो खाने में एक चम्मच अतिरिक्त देशी घी का प्रयोग करें।

➢ अगर सुबह उठकर आपको कब्ज महसूस होता हो, पाचन की समस्या हो, या आप इर्रिटेबल बाउल सिंड्रोम

(आईबीएस) से ग्रसित हों या फिर नींद की समस्या हो तो रात के भोजन में एक अतिरिक्त चम्मच देशी घी का प्रयोग करें।

➤ आप घी का दूसरे तरीके से भी प्रयोग कर सकती हैं खासकर सर्दियों में त्वचा के निखार और जोड़ों को लचीला रखने के लिए

● शाम 4 बजे के आसपास चाय के साथ घी में भूने हुए मखाने लें।

● अगर आप उत्तर भारत या किसी ऐसे देश में जहाँ कड़ाके की सर्दी पड़ती हो वहाँ रहते हैं तो नाश्ते के 2, 3 घंटे बाद बतौर मध्याह्न भोजन, घी में बने हुए गोंद के लड्डू खाना शरीर के लिए काफी लाभदायक हो सकता है।

● थकान, या हीमोग्लोबिन की कमी से जूझ रहे हैं तो दिन और रात के खाने के बाद घी और गुड़ का सेवन करें।

क्यों?

☑ घी की प्रकृति में वसा है जो शरीर में मौजूद अन्य वसा को तोड़ती है। मतलब यह शरीर में लोहे को लोहे से काटने जैसा काम करती है। शरीर के जिद्दी वसा वाले क्षेत्रों से वसा को जुटाता है।

☑ घी तनाव को कम कर अच्छी नींद में सहायक होता है और आप सुबह तरोताजा महसूस करते हैं। यह शरीर के पोषक तत्वों के पाचन में सहायता कर मल त्याग को आसान बनाता है।

☑ घी में ऑक्सीकरण रोधी कंजुगेटेड लोनोलिक एसिड (सीएलए) (मांस और डेयरी उत्पादों में पाया जाने वाला फैटी एसिड जो वजन कम करने में सहायक होता है।) और वसा में घुलनशील विटामिन जैसे ए, ई, डी प्रचुर मात्रा में पाया जाता है, दरअसल घी में वो तत्त्व होते हैं जो आपके स्वस्थ हृदय को चाहिए। यह मधुमेह, हृदय रोग, गैस, कब्ज जैसी अनेकों बीमारियों के लिए रामबाण की तरह है।

☑ खाने में घी का प्रयोग, ग्लायकेमिक इंडेक्स (जीआइ खाद्य पदार्थों में कार्बोहाइड्रेट की रैंकिंग के अनुसार रक्त शर्करा के स्तर को प्रभावित करने वाला सूचकांक।) को कम कर रक्त शर्करा को नियन्त्रित बनाए रखता है।

अक्सर पूछे जाने वाले प्रश्न

प्रश्न : मुझे कोलेस्ट्रॉल, उच्च ट्रिगलायसेरिड्स (रक्त में पाया जाने वाला वसा), फैटी लीवर, रक्तचाप की समस्या है। क्या मैं घी खा सकता हूँ?

उत्तर : हाँ बिल्कुल। घी मेटाबोलिज्म के प्रति वसा के योगदान को बढ़ाकर कोलेस्ट्रॉल को नियन्त्रित करता है। शराब और डिब्बा बन्द खाद्य पदार्थों का उपयोग बन्द करें लेकिन घी का नहीं, यह पूरी तरह सुरक्षित है।

प्रश्न : मेरा वजन अधिक है, मुझे मधुमेह/पीसीओडी है। क्या मैं घी खा सकती हूँ?

उत्तर : हाँ बिल्कुल, घी में पाया जाने वाला ज़रूरी वसा अम्ल, वसा को तेजी से घटाकर रक्त शर्करा को नियमित करने में मदद करता है।

प्रश्न : हम घी में ही खाना बनाते हैं, क्या हमें खाने में ऊपर से घी डालने की ज़रूरत है?

उत्तर : यह आप पर निर्भर करता है। लेकिन इसका ध्यान रखें कि रोजाना एक व्यक्ति को 3 से 6 चम्मच घी मिलनी चाहिए। घी खाने के ऊपर दिखाने के लिए नहीं बल्कि स्वाद बढ़ाने के लिए होना चाहिए।

प्रश्न : हम तेल में खाना बनाते हैं, क्या खाने से पहले भोजन में घी मिला सकते हैं?

उत्तर : हाँ बिल्कुल

प्रश्न : हम घर में घी नहीं बना सकते, क्या बाजार में उपलब्ध डिब्बा बन्द घी का प्रयोग कर सकते हैं?

उत्तर : हाँ, बस इस बात का ध्यान रखें कि यह देशी गाय के दूध से बना हो। छोटे गौशालाओं और छोटी महिला सहकारी समितियों में बनी घी डिब्बा बन्द बड़ी कंपनियों की घी से अच्छा होगा।

प्रश्न : अगर देशी गाय का घी उपलब्ध न हो तो क्या हम भैंस के दूध से घी बना सकते हैं?

उत्तर : हाँ बिल्कुल कम से कम बाजार के घी से तो यह ज़रूर अच्छा होगा।

प्रश्न : जो भारत से बाहर रहते हैं उनके पास क्या विकल्प है?

उत्तर : संवर्धित सफेद कार्बनिक मक्खन या घी जो खाद्य भंडारों में बेचा जाता है। बस यह देख लें कि ये उत्पाद घास खाने वाली गाय के दूध से बना हो।

प्रश्न : क्या माँसाहारी खाने में भी घी का प्रयोग कर सकते हैं? क्या यह पहले से फैट युक्त नहीं है?

उत्तर : हाँ आप कर सकते हैं। घी में मौजूद अनूठी फैटी एसिड संरचना शरीर के लिए बहुत लाभदायक होता है।

प्रश्न : यह कैसे पता करें कि किस खाने में कितना घी डाला जाए?

उत्तर : यह इस बात पर निर्भर करता है कि आप क्या खा रही हैं, यह जानकारी भोजन के बारे में हमारे पारम्परिक ज्ञान का हिस्सा है। खाना जैसे कि दाल-चावल, खिचड़ी, रोटी-सब्जी, में कम मात्रा में घी का प्रयोग करें, जबकि पुरन पोली, दाल बाटी, बाजरे की रोटी के साथ ज़्यादा घी लें।

प्रश्न : मुझे घी पसन्द नहीं है, मेरे पास क्या विकल्प है?

उत्तर : एक विकल्प तो यह है कि आप घी खाने की आदत डालने की कोशिश करें, खैर आप अपने खाने में बादाम, नारियल, कच्ची घानी का या मूंगफली/सरसों/तिल/नारियल तेल (निर्भर करता है कि आप किस इलाके में रहते हैं) को शामिल करने की कोशिश करें। आप घी की कमी को नियमित तौर पर मूंगफली या करी पत्ता या तिल के तेल में बनाया हुआ मिश्रित मूलगापोड़ी खाकर पूरी कर सकते हैं।

घी के बारे में वो बातें जो हम नहीं जानते या जानने की कोशिश नहीं करते

- घी में एंटीबैक्टीरियल और एंटीवायरल गुण होते हैं। आपको कमजोरी से उबारने के अलावा यह बीमारी से भी सुरक्षा कवच प्रदान करता है।
- घी में पाया जाने वाला एंटीऑक्सीडेंट इसे चमत्कारी रूप से एंटीरिंकलिंग और एंटीएजिंग बनाता है जिसकी आपको तलाश थी।
- घी जोड़ों के दर्द के लिए बहुत फायदेमन्द है क्योंकि यह उसे चिकनाई और ऑक्सीजन देकर जोड़ों आदि के दर्द से आपको निजात दिलाता है।
- घी आपके खाने से पोषक तत्त्व लेकर उसे फैट प्रीएम्बल मेमब्रेन्स द्वारा मस्तिष्क में पहुँचाता है।
- घी आपके भूख और खाने के संकेतों को नियन्त्रित कर यह सुनिश्चित करता है कि सही मात्रा में संतुलित आहार लें।

तीसरा सप्ताह
दिशानिर्देश

दिशानिर्देश

अपने जीवन में गैजेट्स के प्रयोग पर सोचें, सुधारें और उसे नियन्त्रित करें

- कम से कम एक बार बिना किसी गैजेट्स के भोजन करें।

- सोने से 30 मिनट पहले किसी भी गैजेट्स का प्रयोग न करें।

- फ़ोन का उपयोग करते समय इसे आँखों से सही दूरी पर रखें।

नोट्स

फिटनेस के बारे में सारी बातें तब तक बेकार हैं जब तक आप जीवन जीने के तरीके पर पुनर्विचार नहीं करते हैं। इसका मतलब अपनी दिनचर्या की छोटी-छोटी चीजों पर ध्यान देने की बजाय आप केवल फिटनेस के बारे में बात करें और कार्बोहाइड्रेट, प्रोटीन और वसा जैसी चीजों के बारे में केवल गूगल करते रहें।

इसलिए इस हफ़्ते से आप स्वस्थ शरीर के विकास के लिए पहला कदम उठायेंगे आपको अपने कंधे के पिछले भाग को मजबूत करना है, पेट की चर्बियों को हटाना है और इस पर लम्बे समय तक टिके रहना है। यह वो चीज है जो मैं चाहती हूँ कि आप करें।

➤ खाने के समय कोई गैजेट्स नहीं। इस आदत को आपको दिन भर के किसी एक आहार के दौरान शुरू करना है और अगले 10 हफ़्ते तक इस आदत पर मजबूती से टिके रहना है। धीरे-धीरे आपको इसे 24 घंटे के तीनों समय के भोजन तक प्रयोग करना है, अब आप निर्णय कर लें कि आप इसकी शुरुआत कब करते हैं—नाश्ते के समय, दोपहर के भोजन पर या फिर रात के खाने समय।

➤ बिस्तर पर जाने से पहले, 30 मिनट तक किसी भी गैजेट्स का प्रयोग न करें। इसलिए सोने के समय में ज़्यादा देरी न करें, फ़ोन को दूर रखें, टीवी बन्द कर दें और कोई किताब पढ़ें लेकिन ध्यान रहे आई पैड या किंडल पर नहीं।

➤ जब आप दिन में फ़ोन इस्तेमाल करते हैं तो अपने शरीर के आसन (पोस्चर) पर ध्यान दें। सही तरीका है फ़ोन को आँखों के बराबर रखकर प्रयोग करने का न कि गर्दन को झुका कर। इसके अलावा जो आपको करना है वो है फ़ोन का बिल्कुल सीमित और ज़रूरी चीजों के लिए उपयोग न कि बार-बार फ़ोन पर सोशल मीडिया चेक करना या सेल्फी खींचना।

मुझे पता है कि यह काम थोड़ा कठिन है, लम्बी आदतें इतनी जल्दी और आसानी से नहीं जाती हैं, लेकिन यह आपके लिए बहुत फायदेमन्द साबित होगा। तो अब से आपका आदर्श वाक्य होना चाहिए 'सर उठा के जियो'।

क्यों?

- ☑ जब हम खा रहे होते हैं तब भूख के संकेतों के बारे में अधिक सचेत रहते हैं मतलब पेट को कितनी ज़रूरत है इस पर पूरा ध्यान देते हैं। लेकिन जब हमारे हाथ में फ़ोन या कोई दूसरा गैजेट्स होता है तब खाने पर से हमारा ध्यान भंग हो जाता है और इस चक्कर में लोग ज़्यादा खा लेते हैं।

- ☑ हमारा मस्तिष्क दिन के उजाले के रूप में गैजेट्स से निकली रौशनी को अच्छे से समझ लेता है लेकिन रात में ऐसा नहीं हो पाता, इससे हॉर्मोन्स पर नकारात्मक असर पड़ता है नतीजा ठीक से नींद नहीं आती है और फिर इंसान दिन भर कमजोरी, थकान, चिड़चिड़ापन महसूस करता है।

- ☑ इंसान का मस्तिष्क बहुत भारी होता है और भारी मस्तिष्क को सँभालने के लिए धीरे-धीरे बचपन से युवावस्था तक का समय लगता है। एक न्यूट्रल पोजीशन जिसमें कान बिल्कुल कंधे के ऊपर रहता है ऐसे में मस्तिष्क का भार 5 से 6 किलोग्राम होता है लेकिन सिर्फ 15 डिग्री नीचे झुकने से इसका वजन दोगुना हो जाता है लगभग 15 किलो। 30 डिग्री के झुकाव पर 20 किलो, और 60 डिग्री के झुकाव पर मस्तिष्क का वजन लगभग 30 किलो हो जाता है। अब जरा इस भयावह आँकड़ों के दुष्परिणाम सोचिये, यह आपके कंधे, मस्तिष्क, और

पिछले हिस्से पर कैसा प्रभाव डालता होगा? हममें से अधिकांश लोग पेट के मोटापे या इसपर चढ़ी चर्बी को कम करना चाहते हैं, अच्छे एब्स चाहते हैं, हमारी ख्वाहिश होती है कि कमर पर भी मांस कम हो लेकिन जिस बेतरतीब तरीके से हम फ़ोन या और किसी गैजेट्स का उपयोग करते हैं उसमें ऐसी काया पाना असम्भव है, यह उन लोगों के लिए और भी खतरनाक है जो मधुमेह, हृदय रोग, थायरायड या अन्य किसी हार्मोनल समस्या से जूझ रहे हैं। यहाँ तक कि यह हमारी कार्डिनल ग्रंथियों और कार्डिओरेसपीरेटरी प्रक्रिया को भी नुक्सान पहुँचाता है।

अक्सर पूछे जाने वाले प्रश्न

प्रश्न : मुझे अपने काम के लिए हर समय फ़ोन की ज़रूरत होती है, मैं इसका उपयोग कम कैसे करूँ?

उत्तर : ऐसी स्थिति में आप इसे एक व्यावसायिक खतरे के रूप में लें लेकिन उन जोखिमों को भी ध्यान में रखें जो इसकी वजह से आता है या आयेगा। और फ़ोन पर चैटिंग, सर्फिंग, स्क्रोलिंग पर बिताने वाले समय को एक दृढ इच्छाशक्ति के साथ कम करने की कोशिश करें। इस बात पर गंभीरता से सोचें कि आप जितने लोगों को जानते हैं क्या उन सबके गुड मॉर्निंग संदेश, वीडियो, जीआईएफ, वगैरह को देखना और उसपर प्रतिक्रिया देना ज़रूरी है?

प्रश्न : क्या सच में गैजेट्स के प्रयोग और इससे स्वास्थ्य पर पड़ने वाले खतरे में कोई सम्बन्ध है?

उत्तर : जी बहुत ज़्यादा, लेकिन समस्या यह है कि गैजेट्स इंडस्ट्री के प्रभाव या दबाव में सरकारें खुलकर इससे जुड़े स्वास्थ्य पर खतरे को सिद्ध नहीं कर पा रही और न ही इस दिशा में कोई ठोस नीति बना रही है। हम सब यह अच्छी तरह जानते हैं कि सिगरेट कंपनियों ने पैकेटों पर इंजूरियस टू हेल्थ चेतावनी लिखने और चेतावनी के आकार को लेकर कितनी आनाकानी की और कई देशों की सरकारों को इसके लिए

लम्बी कानूनी लड़ाई लड़नी पड़ी। अब तो नये आने वालो फोनों में स्क्रीन अलर्ट भी रहता है, जैसे आप सुबह उठने के लिए फ़ोन में अलार्म लगाते हैं उसी तरह अब तो नए आने वाले फ़ोन में भी ऐसे अलर्ट लगाने पर आपको बता देगा कि आप बहुत देर से ऑनलाइन हैं। प्रेस में इससे जुड़े खतरों के बारे में जो इक्का दुक्का ख़बरें आती हैं वास्तविक खतरा उससे कई कई गुना ज़्यादा है। एक डॉक्टर हैं, पद्मश्री से सम्मानित जो भारत सरकार को इस बात के पक्ष में मनाने के लिए जनमत तैयार कर रहे हैं कि अब गैजेट्स पर भी सिगरेट की तरह इंजूरियस टू हेल्थ की चेतावनी लिखनी चाहिए। फिर इंस्टाग्राम का उदाहरण देखिये जो इस बात का प्रयोग कर रहा है कि आपके पेज पर लाइक्स को न दिखाया जाए।

प्रश्न : लेकिन मैं अपने फ़ोन को अलार्म की तरह प्रयोग करता हूँ।

उत्तर : आप खुद ही अपने लिए अलार्म बनिये, फिर आपको यह समस्या भी नहीं रहेगी कि फ़ोन में अलार्म बजने पर उसे स्नूज़ करें।

चौथा सप्ताह
दिशानिर्देश

दिशानिर्देश

शाम 4 से 6 बजे के बीच एक
पौष्टिक भोजन करें

नोट्स

मैं हमेशा अपने क्लाइंट्स से कहती हूँ कि वजन कम करने का राज इस बात में छिपा है कि आप शाम 4 से 6 बजे के बीच क्या खाती हैं? यह ऐसा समय है जब हम भोजन के प्रति लापरवाह भी रहते हैं और बहुत ज़्यादा भूखे भी। अगर मैं अपनी बात करूँ तो मेरे लिए यह दिन का सबसे महत्वपूर्ण भोजन है।

आपने बहुत लोगों से यह सुना होगा कि अगर आपको वजन कम करना है तो रात में बिल्कुल हल्का खाना खायें। लेकिन रात को हल्का खाना कैसे खायें? बस यहीं पर आपको मेरी यह सलाह माननी है कि शाम को कुछ अच्छा पौष्टिक भोजन लें, अगर आप जल्दी डिनर करने के आदी हैं तो शाम वाला आहार थोड़ा हल्का लें। अगर आप देर रात डिनर करते हैं तो ये आहार थोड़ा भारी होना चाहिए। आपके लिए शाम का यह पौष्टिक आहार मेक और ब्रेक भोजन होगा, यह तय करेगा कि क्या आप लम्बे समय तक फिट रहेंगे या फिटनेस के प्रति आपका संकल्प अगले कुछ हफ़्तों में दम तोड़ देगा।

शाम का आहार इस बात पर भी निर्भर करता है कि आप रात में डिनर कितने बजे करते हैं, अगर आप जल्दी डिनर चाहिए।

लेकिन इस बात का ध्यान रखें कि दोनों ही परिस्थितियों में शाम वाला आहार बहुत पौष्टिक होना चाहिए। दूसरी बात खाने के विकल्प को लेकर भी है कि आप उस वक्त कहाँ रहते हैं? ऑफिस, कॉलेज, ट्रेन या फिर किसी और जगह।

➢ एक मुठ्ठी मूंगफली और चना। यह आपकी भूख को नियन्त्रित रखता है, और डिनर के वक्त आपको ज़्यादा खाने, गैस, पेट के भारीपन आदि से बचता है। यह तब करें जब आप डिनर जल्दी मतलब 8 बजे से पहले करते हैं। यह, मधुमेह पीड़ित, पीसीओडी और उनके लिए अच्छा है जो दिन भर थकान महसूस करती हैं।

➢ गुड़, घी और रोटी। यह उनके लिए काफी अच्छा है जो दिन भर व्यस्त, घर से दूर रहते हैं, डिनर रात 9 बजे के बाद करते हैं, नींद, कब्ज और निम्न रक्तचाप की समस्या से जूझ रहे हैं।

➢ पोहा/उपमा/डोसा/अंडे का टोस्ट/घर का बना खाकरा, गोंद या बेसन के लड्डू। अगर आप पर 6 बजे के बाद काम का बोझ ज़्यादा बढ़ता है, या आपको रात किसी पार्टी में जाना हो या फिर आप अक्सर बीमार पड़ते हों तो यह आहार आपके लिए काफी अच्छा है। यदि उपरोक्त में से कोई भी चीज आपके लिए सम्भव नहीं हो तो मुम्बईया स्टाइल में चीज सैंडविच या उबली हुई

सब्जी खा लें।

➤ चाट/समोसा/स्ट्रीट फ़ूड। जी हाँ शाम के समय आप यह भी खा सकते हैं, इसे हिकारत भरी नजरों से मत देखिये, लेकिन हफ़्ते में सिर्फ एक बार। लेकिन कभी भी इसे डिनर में न खायें।

अगर यह आहार आपकी दिनचर्या में शामिल हो जाता है तो स्वाभाविक रूप से आपके डिनर की मात्रा 5 से 6 दिनों में कम हो जायेगी। यह बहुत ही सामान्य और परिणाम देने वाला आहार भी है।

अब आप अपने पूरे हफ़्ते के लिए आहार योजना बनाइये।

क्यों?

☑ हमारे शरीर में मौजूद हॉर्मोन कोर्टिसोल भी हमारी ही तरह सामान्य दिनचर्या का पालन करता है। मतलब जब हम सुबह सोकर उठते हैं तो यह हार्मोन भी सक्रिय हो जाता है, आप अच्छे से फ्रेश होकर दिन की शुरुआत करते हैं, फिर शाम होते होते यह भी थक जाता है ताकि हम रात को चैन की नींद ले सकें। शायद यही वजह है कि इस प्रोजेक्ट में हम अच्छी नींद और सुबह अच्छे से फ्रेश होने को स्वास्थ्य के पैरामीटर्स पर ट्रैक कर रहे हैं। ऐसा इसलिए क्योंकि यही दो चीजें आपके मेटाबोलिक हेल्थ, इम्यून रेस्पोंस, हॉर्मोन संतुलन और तनाव पर आपकी प्रतिक्रिया के बारे में बहुत सारे संकेत देता है।

☑ जब हम शाम को भूख लगने पर कुछ खाने की बजाय चाय कॉफी पीकर अपनी भूख को मार देते हैं तो हमारे शरीर में कॉर्टिसॉल का स्तर घटने की बजाय बढ़ने लगता है, जिसका परिणाम होता है :

- रात को ज़्यादा खाना
- अच्छी नींद न आना
- खाना पचने में परेशानी या धीरे पचना
- पीसीओडी/थॉयरायड की समस्या
- इन्सुलिन में गड़बड़ी जिससे आगे चलकर मधुमेह और कई बीमारियां होने का खतरा पैदा हो जाता है।

चार से छह बजे के बीच खाने के अन्य विकल्प

मील ऑप्शन	सबसे लाभकारी कब/ किसके लिए	अतिरिक्त नोट्स
• मुट्ठीभर मूंगफली और चना • देसी घी में भुना हुआ मखाना, सेंधा नमक के साथ • ताज़े मौसमी फल या केला • चिक्की • घर की बनी चिक्की और मुरुकु	• अगर डिनर सात से साढ़े सात के बीच • इन्सुलिन में परेशानी और पीसीओडी • मधुमेह और रक्तचाप	• सुबह जल्दी उठने वाले, कसरत करने, जल्द सोने वालों के लिए बेहतर
• रोटी घी और गुड़ के साथ • दही चावल, झालमुरी • इडली पौड़ी घी	• अगर डिनर नौ बजे के बाद हो • ऑफिस के लिए नब्बे मिनट से ज़्यादा की यात्रा करनी हो • अगर हीमोग्लोबिन स्तर कम हो	• अच्छी नींद में सहायक • कब्ज़ को दूर करता है • ऊर्जा के स्तर को बढ़ाता है
• पोहा, उपमा • घर का बना थेपला या अचार के साथ मठरी • घर का बना खाखरा जीराडु और घी के साथ • घर का बना डोसा • गोंद/बेसन/नारियल- रवा लड्डू • एग टोस्ट • प्रोटीन शेक	• अगर शाम के समय काम का बोझ बढ़ जाता हो • पार्टी में जाना हो • आप घर पर अच्छा खाना बनाते हो पर खाने का सही समय नहीं मालूम • अगर डिनर अनियमित हो • अगर रोज़ देर रात तक काम करना आप के रूटीन में हो	• खराब मूड और अर्धरात्रि में भूख की तलब को खत्म करता है • इम्युनिटी को बेहतर करता है • आलस्य, कमजोरी और पैरों में दर्द से बचाता है

अक्सर पूछे जाने वाले प्रश्न

प्रश्न : अगर हम बहुत जल्दी मतलब 6-30 से 7 बजे तक डिनर करते हैं तब?

उत्तर : तब आपको लंच थोड़ा जल्दी करना चाहिए और 4 से 6 बजे शाम वाला पौष्टिक आहार आपको 3 से 5 बजे के बीच ले लेना चाहिए। आप अपनी सुविधा के हिसाब से इस किताब के पेज नम्बर 74 पर दिये विकल्प का चुनाव कर सकते हैं।

प्रश्न : अगर हम शाम में व्यायाम करते हैं?

उत्तर : तब आप व्यायाम के बाद चार आर यानि (पानी के साथ रीहाइड्रेट, ग्लाइकोजन स्टोर की भरपाई करें, प्रोटीन के साथ रिपेयर करें और एंटीऑक्सिडेंट के साथ ठीक करें। इसकी पूरी जानकारी मेरी किताब डोंट लूज़ आउट, वर्क आउट में दी गयी है।) केला और प्रोटीन शेक को बतौर पौष्टिक आहार ले सकते हैं। यदि आप शाम 7 बजे के आसपास व्यायाम करते हैं तो आप मेरे द्वारा बताए गये किसी भी आहार को 5-30 बजे शाम तक ले लें लेकिन याद रखें कि आपका डिनर व्यायाम के तुरन्त बाद हो जाना चाहिए।

प्रश्न : रात में या फिर ऑड वर्किंग ऑवर में काम करने वाले क्या करें?

उत्तर : आप समय के हिसाब से अपना आहार तय कर लें। शाम 4 से 6 बजे वाला आहार अपनी सुविधा के हिसाब से आगे पीछे कर लें।

प्रश्न : इस समय क्या नहीं करना है?

उत्तर : 4 से 6 बजे वाला आहार पौष्टिक होना चाहिए। इसका मतलब कोई भी ऑयल फ्री, शुगर फ्री विदेशी फल, जूस, कोई डाइट विकल्प नहीं है। आपको एकदम ट्रेडिशनल खाना लेना चाहिए। अगर आप कुछ मूल बातें भूलते हैं तो आप इस भोजन से मिलने वाले सभी अच्छी चीजों से वंचित रह जायेंगे। कोशिश करें कि खाना बिना किसी तामझाम के और घर का बना होना चाहिए जो कि पेज नम्बर 74 में मैंने बताया है।

पाँचवाँ सप्ताह
दिशानिर्देश

दिशानिर्देश

चलें ज़्यादा, बैठें कम

- 30 मिनट कहीं बैठने के बाद, 3 मिनट चहलकदमी करें
- घर या कार्यालय में लिफ्ट की बजाय सीढ़ियों का प्रयोग करें
- सप्ताह में एक बार, बिना गैजेट्स या किसी की सहायता के अपना काम खुद करें
- डिनर के बाद कम से कम 100 कदम चलें

नोट्स

इस गाइडलाइन्स के जरिये मैं हेल्थ और फिटनेस की केवल उन बातों को आपके सामने रखना चाहती हूँ जो हैं तो बहुत स्पष्ट लेकिन लोग अक्सर उसे नजरअन्दाज करते हैं। और इस हफ़्ते मैं आपको व्यायाम से भी आसान कुछ बेसिक एक्टिविटी बताऊँगी क्योंकि बिना एक्टिव लाइफस्टाइल के आप चाहे कितना भी वर्कआउट कर लें वह असरदार साबित नहीं होगा।

आज कहने को ज़िन्दगी बहुत भागदौड़ वाली हो गई है लेकिन यह सिर्फ कहावत है सच्चाई यह है कि हमें भागने की नहीं बैठने की आदत हो गयी है, हम ठहर से गये हैं। ऑफिस में घंटों बैठना, कार में, ट्रेन में, टीवी देखते वक्त, वीडियो गेम खेलते, फ़ोन पर बात करते हम घंटों बैठे ही तो रहते हैं। यह आदत शहरी और अर्द्ध शहरी जगहों में ज़्यादा देखने को मिल रही, लेकिन अब समय आ गया है इस आदत को बदलें।

ध्रूमपान की तरह ही आज इस तरह एक जगह बैठे रहने को लाइफस्टाइल डिजीज (जैसे डायबिटीज, मोटापा, हाई ब्लड प्रेशर, हृदय रोग आदि) के लिए बड़ा खतरा माना जा रहा है। आप बहुत अच्छा खाना खाते हैं, व्यायाम करते हैं, समय पर सोते हैं, ज़्यादा तनाव नहीं लेते लेकिन अगर आपको भी

एक जगह घंटों बैठने की आदत है तो आप भी आगे चलकर लाइफस्टाइल डिजीज के शिकार हो सकते हैं, यहाँ तक कि आपकी जान तक जा सकती है।

लंदन में 1949 में बस ड्राइवर और कंडक्टर पर किये गये एक सर्वेक्षण में यह बात सामने आयी कि कंडक्टर की तुलना में ड्राइवर को हृदय रोग और हार्ट अटैक का खतरा ज़्यादा था। एक कंडक्टर रोजाना औसतन 500 से 700 कदम चलता है इसलिए वो स्वस्थ भी रहता है और उसकी आयु भी लम्बी होती है। दरअसल इससे यह बात सामने निकल कर आती है कि इंसान को बैठे रहने की बजाय हमेशा एक्टिव रहना चाहिए और यही स्वस्थ जीवन का सार है।

यहाँ कुछ आसान तरीके मैंने बताए हैं जिससे आपकी मूवमेंट ज़्यादा होगी और बैठना कम होगा :

- आप कहीं भी बैठे हों तो हर 30 मिनट के बाद कम से कम 3 मिनट खड़े हो जायें, चहलकदमी कर लें जब आप खड़े हों तो ध्यान रखें कि आपका वजन दोनों पैरों पर बराबर हो मतलब बेतरतीब तरीके से न खड़े हों

- घर या ऑफिस जाते हुए लिफ्ट की बजाय सीढ़ियों का प्रयोग करें। अगर आप 10 वीं मंजिल पर रहते हैं और आपका ऑफिस भी 8 वीं या 9 वीं मंजिल पर है तो

कोशिश करें कि कम से कम 4 मंजिल तक रोजाना सीढ़ियों का इस्तेमाल हो।

➤ कोशिश करें कि अपनी कार को ऑफिस या जहाँ कहीं जाना हो उससे 500 कदम की दूरी पर पार्क करें। वैसे आपकी जानकारी के लिए बता दूँ कि 2030 से पेरिस, शहरों में कार पर पाबंदी लगाने जा रहा है।

➤ सप्ताह में कम से कम एक बार टहलते हुए अपने पड़ोसी या बच्चों के स्कूल, या पार्क या दोस्त या किसी रेस्टोरेंट में जायें, इससे दो तीन चीजें एक साथ होंगी एक तो आपका स्वास्थ्य ठीक रहेगा, दूसरा आपके सामाजिक मेल जोल बढ़ेंगे और तीसरा आप गाड़ी की बजाय पैदल चलकर पर्यावरण सुरक्षा में भी अपना योगदान देंगे।

➤ हफ़्ते में एक दिन वो काम करें जो या तो आपकी मेड करती है या गैजेट्स, जैसे खुद से अपने कपड़े धोना, बर्तन साफ़ करना, झाड़ू पोछा इत्यादि।

➤ पुरुषों को भी इस तरह के काम करने चाहिए जैसे सप्ताह में एक दिन में खाना बना लें, थोड़ी बहुत सफाई। खाने में आपसे 56 भोग की उम्मीद नहीं की जाती बस साधारण दाल चावल या खिचड़ी भी चलेगी। याद रखें अच्छे स्वास्थ्य के लिए पौष्टिक खाने के साथ साथ अच्छे, प्रदूषणमुक्त पर्यावरण का होना भी ज़रूरी है।

➤ डिनर के बाद 100 कदम चलना या शतापावली। 100 कदम नापकर चलना वैसे बहुत बोरिंग और कठिन है, आप खाने के बाद टेबल की सफाई और किचन साफ़ कर दें तो भी चल जायेगा।

आपको यूँ चहलकदमी या पैदल चलने के फायदे का महत्व नहीं पता चलेगा लेकिन यह अधेड़ उम्र में ब्रेन प्लास्टिसिटी को बनाए रखने के अलावा, पीठ दर्द, मधुमेह, हृदय रोग, डिप्रेशन में बहुत कारगर साबित होता है। अब आगे बढ़ें, बैठना बन्द करें, चलना शुरू करें। अरे जरा रुकिये आप इसे व्यायाम या उसका विकल्प न समझ लें। हम इसकी चर्चा आगे करेंगे, पिक्चर तो अभी बाकी है मेरे दोस्त।

अक्सर पूछे जाने वाले प्रश्न

प्रश्न : मेरा ज़्यादातर काम बैठने का है

उत्तर : बहुत आसान है, आपको जितना ज़्यादा मौका मिले उसमें छोटे छोटे ब्रेक लें, टहलें, और आप आसपास जितने भी लोगों से काम के लिए व्हाट्सएप या ऑफिस मेसेंजर पर बात करते हैं उनसे सीधे जाकर बात करें। बिना फ़ोन के, चलते, फिरते घूमते बात करें। इसके अलावा अपने चैंबर में एक फुटरेस्ट (पायदान) रख लें और बीच बीच में समय निकालकर घुटने को थोड़ा आगे पीछे करें इससे आपका ब्लड सर्कुलेशन ठीक रहेगा।

प्रश्न : मेरी मीटिंग्स बहुत लम्बी होती है, मुझे क्या करना चाहिए?

उत्तर : कोशिश करें कि दो तीन मीटिंग्स एक साथ हों, मीटिंग के एजेंडे पर तुरन्त चर्चा हो, बहस हो और काम ख़त्म। वैसे पुराने तौर तरीके वाले कांफ्रेंस रूम बेहद थकाऊ और उबाऊ होते हैं समय के साथ चीजें बहुत तेजी से बदल रही हैं और आप भी इस अच्छे बदलाव को अपनाएं।

प्रश्न : फिर भी मेरा काम बैठने वाला ही है।

उत्तर : बैठो, मेरा भी काम ज़्यादातर बैठने का ही है, लेकिन

मैंने इसका तरीका खोज लिया है। मैंने आरामदायक कुर्सी न खरीदकर एक बेंच खरीदी है और मैं उस पर कुर्सी की तरह पैर लटकाकर नहीं बल्कि पैर पर पैर रखकर बैठती हूँ। आप बेशक बैठकर काम करें लेकिन उससे आपके शरीर और हेल्थ पर जो बुरा असर पड़ेगा उसे अनदेखा न करें, इसलिए धीरे-धीरे ही सही कुछ समझदारी वाले कदम उठाएँ।

छठा सप्ताह

दिशानिर्देश

हफ़्ते में कम से कम एक स्ट्रेंथ ट्रेनिंग सेशन से शुरूआत करें। यदि पहले कभी नहीं किया है तो डोंट लूज आउट वर्क आउट के बिगिनर्स रूटीन से हफ्ते में एक बार से शुरूआत करें।

दिशानिर्देश

हफ़्ते में कम से कम एक स्ट्रेंथ ट्रेनिंग
सेशन से शुरुआत करें

स्ट्रेंथ/वेट ट्रेनिंग पर नोट्स

इस हफ़्ते की गाइडलाइन सीधे दिल से निकली है— एक्सरसाइज। आप काफी समय से सोच रहे होंगे कि मुझे जिम जाना चाहिए, एक्सरसाइज करनी चाहिए लेकिन आप शुभ मुहूर्त/या कहें अच्छे समय का इन्तजार कर रहे। तो लीजिये अच्छा समय आ गया, आपका टाइम आ गया।

धरती पर ऐसा कोई इंसान नहीं है जो अपना वजन कम नहीं करना चाहता हो लेकिन ऐसा करने के लिए आपको पहले अच्छा पौष्टिक खाना खाकर अपने मसल्स, हड्डियों को मजबूत करना होगा।

हममें से ज़्यादातर की मांसपेशियां हर दस साल में 2 से 4 किलो कम हो जाती हैं। महिलाओं में खासकर 30 की उम्र के बाद जाँघों की माँसपेशी कम होती जाती है और इंट्रामस्कुलर मांसपेशी बहुत तेजी से बढ़ती है। अगर आप नियमित रूप से एक्सरसाइज करते हैं तब मांसपेशी और बॉन डेंसिटी में इस तरह की लगातार कमी से प्रभाव पड़ेगा। सिर्फ एक्सरसाइज नहीं बल्कि आपको स्ट्रक्चर्ड वे में एक्सरसाइज करनी पड़ेगी।

➢ **यदि आपने पहले कभी वेट ट्रेनिंग नहीं की है :** तो आप आज से अभी से शुरू कर दें। किसी लोकल जिम

प्रशिक्षक (ट्रेनर) से बात करें और हफ़्ते में कम से कम एक दिन से इसकी शुरुआत करें। आप इसके लिए मेरी किताब 'डोंट लूज आउट, वर्क आउट' में नये लोगों के लिए रूटीन से भी मदद ले सकते हैं। उस स्थिति में आपको विशेष रूप से शुरू कर देना चाहिए यदि आप पहले से इंसुलिन रेजिस्टेंस, ज़्यादा मोटापा, हृदय रोग की समस्या, बोन लॉस या मधुमेह जैसी किसी भी बीमारी से पीड़ित हैं। अधेड़ उम्र के पुरुष और महिलाओं के लिए तो यह बहुत ज़्यादा ज़रूरी है।

➢ **अगर आप पहले से ट्रेनिंग ले रहे लेकिन नियमित नहीं हैं :** थोड़ा समर्पण दिखाइए और नियमित हो जाइये, हफ़्ते में कम से कम दो बार स्ट्रेंथ ट्रेनिंग की कोशिश कीजिये। यह उनके लिए और ज़्यादा ज़रूरी हो जाता है जिनको मेनोपॉज, थायरॉयड, पीसीओडी की समस्या है। ट्रेनिंग सेशन में धीरे-धीरे वेट बढ़ाइए। इसके बारे में ज़्यादा जानकारी आपको मेरी किताब डोंट लूज़ आउट, वर्क आउट के ट्रेनिंग सेशन चैप्टर में मिल जायेगी।

➢ **अगर आप हफ़्ते में तीन या उससे ज़्यादा दिन ट्रेनिंग करते हैं :** बहुत बढ़िया, शाबाश, आप अपने मसल्स की स्ट्रेंथ के हिसाब से वजन बढ़ाते जाइये क्योंकि आप जितना वजन उठायेंगे आपके शरीर और मांसपेशी को उतना ही फायदा होगा।

क्यों?

उम्र बढ़ने के साथ साथ हमारी चर्बी हमारी मांसपेशियों में भी घुसपैठ करने लगती है और हमारी उपचय प्रतिक्रिया या हम कितनी भी अच्छी तरह व्यायाम करें बहुत कारगर नहीं होगी और इसी समय स्ट्रेंथ ट्रेनिंग बहुत फायदेमन्द होता है जो चर्बी को एक जगह इकट्ठा नहीं होने देता। यह अतिरिक्त वसा भंडार का उपयोग करता है, आपकी मांसपेशियों के आकार और ताकत को बढ़ाता है और हड्डियों के घनत्व और जोड़ों की चिकनाई ठीक करता है। स्ट्रेंथ ट्रेनिंग बहुत प्रभावी है लेकिन हार्मोनल हेल्थ को बनाए रखने के लिए उतना काफी नहीं है। यह आपके इंसुलिन और वृद्धि हार्मोन को ठीक रखता है। इसके कुछ और लाभ :

- ☑ मधुमेह को रोकता है और यदि आप पहले से ही मधुमेह से पीड़ित हैं, तो आपकी दवाइयों की खुराक को कम कर देता है।

- ☑ माहवारी के चक्र को नियमित करता है जिससे दर्दमुक्त पीरियड्स हो। अगर आप बच्चा चाहती हैं तो गर्भ धारण में मददगार साबित होता है।

- ☑ गठिया के दर्द और यूरिक एसिड को कम करता है

- ☑ रक्तचाप को कम करता है

☑ मस्तिष्क के कार्य करने की क्षमता को प्रभावी बनाता है

☑ आपकी गति को बढ़ाता है

☑ अवसाद को कम कर अच्छी नींद में सहायक

इसके फायदों की लिस्ट बहुत लम्बी है बॉस, बात ये है कि हमलोग तीस की उम्र के बाद वजन बढ़ाने की बात करते हैं, लेकिन हमारे मसल्स कम होते जाते हैं, तो फिर हम कौन-सा वजन बढ़ा रहे हैं? वसा का। वह चीज जो आपकी गतिशीलता, शक्ति, चपलता या सेक्स अपील में कोई योगदान नहीं करता। लेकिन आप अपने वसा के मोटापे को नहीं माप सकते। तो वजन के झंझट को हटाइये और स्क्वैट रैक के अन्दर आइये।

अक्सर पूछे जाने वाले प्रश्न

प्रश्न : मैं पहले से ही कार्डिओ/तैराकी/जुम्बा/डांसिंग आदि कर रहा हूँ, क्या मैं स्ट्रेंथ ट्रेनिंग करूँ?

उत्तर : हाँ और इसका कारण आफ्टरबर्न या (एक्सेसिव पोस्ट एक्सरसाइज ऑक्सीजन कंसम्पशन, ईपीओसी) अत्यधिक व्यायाम के बाद की ऑक्सीजन का क्षय है। आफ्टरबर्न एक ऐसी प्रक्रिया है जो स्ट्रेंथ ट्रेनिंग के प्रत्येक के बाद होती है, जहाँ शरीर व्यायाम के बाद 36-48 घंटों तक की उच्च दर से वसा जलाता है। एरोबिक व्यायाम के साथ ऐसा नहीं है, यहाँ वसा जलता तो है, लेकिन सिर्फ व्यायाम के दौरान उसके बाद नहीं।

ईपीओसी मोटे लोगों के लिए काफी अच्छा है और उनके लिए भी जो ज़्यादा फैट की वजह से हार्मोनल असंतुलन से पीड़ित हैं।

प्रश्न : क्या जिम का कोई विकल्प है जो हम घर पर कर सकें?

उत्तर : आप घर पर यह कर सकते हैं लेकिन जिम की तरह प्रभावकारी नहीं होगा लेकिन हाँ कोई स्ट्रेंथ ट्रेनिंग न करने से तो ज़रूर अच्छा होगा। स्क्वैट्स, लुनजेस, पुश अप, पुल अप आप घर पर कर सकते हैं। इस लिंक पर आपको घर में किये

जाने वाले व्यायाम की अच्छी जानकारी मिल जायेगी http://
www.exrx.net/Questions/BasicProgram.html

दो परिदृश्य

1. आप जिम जा सकते हैं लेकिन जाना नहीं चाहते क्योंकि
   आपको शंका है?आप शर्मीले हैं/समय नहीं है/वहाँ बहुत
   शोर होता है/यह बॉडी बिल्डर के लिए है आदि। वजन
   उठाने का लाभ ऊपर की सभी चिंताओं से ज़्यादा मिलता
   है। जिम में आप व्यवस्थित और सुरक्षित तरीके से भारी या
   हलके वजन वाले मशीन से वजन उठाने का प्रशिक्षण ले
   सकते हैं। धीरे-धीरे वजन बढ़ाकर आप क्षमता और ऊर्जा
   में वृद्धि कर सकते हैं।

2. आपके पास जिम जाने का कोई तरीका नहीं है।
   इस परिस्थिति में आप व्यायाम के कुछ बुनियादी तरीके
   सीख सकते हैं जिसमें किसी उपकरण का उपयोग न के
   बराबर हो।

प्रश्न : मैंने अभी-अभी वेट ट्रेनिंग शुरू की है, मेरा ब्लड शुगर लेवल बेहतर है, थायरॉइड ठीक है, मेरी जींस ढीली हो रही है, लेकिन मेरा वजन एक ग्राम भी नहीं घटा है, बल्कि कुछ किलो बढ़ ही गया है!

उत्तर : सबसे पहले तो अपने उदास चेहरे को मुस्कुराते हुए चेहरे में बदल दें। वेट ट्रेनिंग से आपकी हड्डियों और मांसपेशियों का वसा रहित वजन बढ़ता है। जाहिर सी बात है यह आपके शरीर के कुछ ग्राम या किलो वजन बढ़ायेगा। इस बात को न भूलें कि जैसे ही आपकी मांसपेशियों में ग्लाइकोजन का अधिक भंडारण शुरू होता है यह शरीर के वजन में भी बढ़ोतरी करता है।

तकनीकी तौर पर आप अपने शरीर के वसा वजन का एक ग्राम भी घटाए बिना पाँच किलो वजन घटा बढ़ा सकती हैं। शरीर का वजन मोटापे या फिटनेस का कोई पैमाना नहीं है। इसकी बजाय आप अपना व्यायाम प्रदर्शन देखें — यह आपके शरीर की फैट बर्निंग क्षमता (स्वास्थ्य, फिटनेस और बीमारियों के जोखिम) का सुनिश्चित तरीका है। यदि आप ज़्यादा वजन उठाती हैं, व्यायाम के प्रति उत्साही हैं, जिम में अपने रूटीन को लेकर बहुत तत्पर हैं इसका मतलब सही रास्ते पर हैं।

व्यायाम योजना के लिए नियम

☑ हफ़्ते में कम से कम 150 मिनट व्यायाम के लिए योजना बनाएं

☑ दो वेट ट्रेनिंग सेशन के बीच कम से कम दो दिन का अन्तर रखें

☑ अगर आप कार्डिओ कर रहे हैं तो इसे वेट ट्रेनिंग के एक दिन बाद करें

☑ व्यायाम का ज़्यादा फायदा लेने के लिए इसकी योजना आराम के दिनों में बनाएं

☑ योगासन, व्यायाम और सेहत लाभ का एक उत्कृष्ट रूप है जिसे आप रोजाना कर सकते हैं।

व्यायाम के बारे में सब कुछ

यह सिर्फ महत्वपूर्ण नहीं बल्कि अत्यंत महत्वपूर्ण है कि हम व्यायाम करें

क्यों ? बहुत लाभ

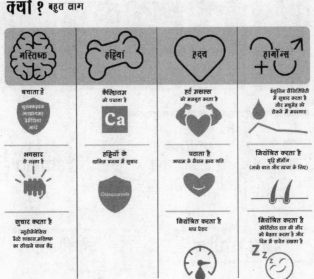

मस्तिष्क	हड्डियां	हृदय	हार्मोन्स
बचाता है भुलक्कड़पन अल्झाइमर डेमेंशिया आदि	**कैल्शियम** को पचाता है Ca	**हर्ट मसल्स** को मजबुत करता है	इंसुलिन सेंसिटिविटी में सुधार करता है और मधुमेह को रोकने में मददगार
अवसाद से लड़ता है	**हड्डियों के** खनिज घनत्व में सुधार Osteoporosis	**घटाता है** आराम के दौरान हृदय गति	**नियंत्रित करता है** वृद्धि हॉर्मोन (अच्छे बाल और त्वचा के लिए)
सुधार करता है न्यूरोजेनेसिस डेंटटे गाइरस,मस्तिष्क का सीखने वाला केंद्र		**नियंत्रित करता है** ब्लड प्रेशर	**नियंत्रित करता है** कोर्टिसोल रात की नींद को बेहतर करता है और दिन में सचेत रखता है

कैसे ? एक सही संरचना का पालन करके

व्यायाम की योजना के लिए नियम

- दो वेट ट्रेनिंग सेशन के बीच कम से कम दो दिन का अंतराल रखें
- कार्डिओ वेट ट्रेनिंग के एक दिन बाद करें
- व्यायाम के अच्छे परिणाम के लिए स्वस्थ दिनों में बनाएं
- योगासन व्यायाम के बेहतरीन भाग हैं, स्वस्थ और भी बहुत कुछ, आप इसे रोजाना कर सकते हैं
- हफ्ते में कम से कम 150 मिनट का वर्कआउट प्लान करें

हफ्ते भर के व्यायाम का कैलेंडर

*आप अपने मौजूदा एक्सरसाइज के अनुसार रूटीन बदल सकते हैं

पहला दिन	दूसरा दिन	तीसरा दिन	चौथा दिन	पांचवा दिन	छठा दिन	सातवां दिन
वजन की ट्रेनिंग	40 मि. कार्डिओ, स्विम, साइकिलिंग योगासन	एक्टिव रेस्ट योगासन	वजन की ट्रेनिंग	योगासन, हॉबी	20 मि. तेज से चलना पूरे वेग से दौड़ना उछलना आदि	एक्टिव रेस्ट

खाने में क्या है?

सही खाना यह सुनिश्चित करता है कि व्यायाम का असर आप पर दिख रहा है.

कसरत से पहले के भोजन

कसरत के पंद्रह बीस मिनट पहले कोई फल लें या मेन मील से साठ-नब्बे मिनट पहले

कसरत के बाद के चार मील

रिहाइड्रेट
अपनी प्यास बुझाने को खूब पानी पिएं फिर थोड़ा और पिएं

भरपाई
ग्लाइकोजन स्टोर की भरपाई के लिए कोई फल लें जैसे केला

दुरुस्ती
रिपेयर प्रोसेस में छाछ का प्रोटीन शेक पिएं

रिकवर
Zinc vitamin C vitamin E Selenium
जल्दी ठीक होने के लिए विटामिन सी, विटामिन ई, सेलेनियम, जिंक आदि जैसे एंटीऑक्सीडेंट लें

कसरत में परफॉर्मेंस सुधारने के लिए पांच मुख्य भोजन-

चावल
हाथ बढ़ाना
आंतों को ठीक रखता है
खाने में आसान
लोकल
प्रीबायोटिक
सिंगल पॉलिश्ड
ब्राउन राइस से दूर रहें
बीसीएए का बढ़िया स्रोत

कंद
साबुदाना
अरबी
फाइबर से भरपूर
औरतों के लिए फायदेमंद
मिनरल में बढ़िया
शकरकंदी
हार्मोंस को संतुलित रख त्वचा में निखार लाता है
सुरन
विटामिन से भरपूर

आलिव
फोलिक एसिड से भरा
इंडियन सुपरफूड्स
बगीचे के बीज
आयरन से भरपूर
वसा को घटाता है

छाछ प्रोटीन
गैर-आवश्यक अमीनो एसिड के लिए आवश्यक सही अनुपात
बूढ़े लोगों के लिए लाभकारी जो कि रेगुलर एक्सेरसाइज करते हैं
जल्दी स्वास्थ्य करता है

कोकोनट
पौष्टिक भोजन
पका, सूखा और पानी वाला लिया जा सकता है
ब्लड प्रेशर को सामान्य करते हुए इम्युनिटी को मजबूत करता है

सातवां सप्ताह
दिशानिर्देश

दिशानिर्देश

डिनर में चावल दाल खायें

आपको डिनर में चावल क्यों खाना चाहिए?

☑ ये आसानी से पच जाते हैं।

☑ इनसे नींद अच्छी आती है।

☑ ये प्रोबायोटिक होते हैं और हाज़मा ठीक रखते हैं। इससे कब्ज़ की शिकायत नहीं होती।

☑ चावल में पाए जाने वाले बीसीएए (ब्रांच चेन अमीनो एसिड) मासपेशियों के लिए बहुत अच्छे होते हैं। इनसे व्यायाम के परिणाम जल्दी दिखाई देते हैं।

☑ ये सभी प्रकार के लोगों के लिए लाभदायक होते हैं। (वात, पित्त और कफ दोष) के लिए

☑ चावलों में छिपे कुछ पौष्टिक तत्व इस प्रकार हैं :

- मीथियोनाइन—यह सलफर युक्त अमीनो एसिड होता है जो त्वचा पर झुर्रियाँ नहीं पड़ने देता, लीवर साफ रखता है और इससे जल्दी बुढ़ापा नहीं आता। इससे त्वचा और बाल दोनों ही अच्छे हो जाते हैं।
- विटामिन B1—यह नसों और हृदय के लिए अच्छा रहता है पेट की जलन और सूजन को घटाता है। यह विटामिन 3 का भी अच्छा स्त्रोत है। इसे बनाने से पहले अगर आप थोड़ी देर भिगो दें तो इसके गुण और बढ़ जायेंगे।

● आरएस—रसिस्टेंट स्टार्च, एक प्रकार का ऐसा अणु है जो हमारी बड़ी आँतों में उफनता है। यह हमें कैंसर से बचाता है, शरीर में मौजूद लिपिड प्रोफाइल में सुधार लाता है और हमारे शरीर को नुकसान पहुँचाने वाले बैक्टिरिया को कम बढ़ने देता है।

चावल कौन खा सकता है?

सभी खा सकते हैं। जिस प्रकार हम भारतीय चावल को दाल और घी के साथ खाते हैं इससे हमारा भोजन ग्लाइकेमिक सूचकांक पर कम रहता है और ब्लड शूगर भी नियंत्रित रहता है। इसलिए यह मधुमेह, हृदय रोग या किसी भी अन्य बीमारियों से ग्रस्त, गर्भवती महिलायें, जवान और वृद्ध, चुस्त और सुस्त, पतले और मोटे सभी के लिए अच्छा है। वास्तव में, हाल ही में ग्लासगो में यूरोपियन कांग्रेस ऑफ़ ओबेसिटी में प्रस्तुत किये गये रिपोर्ट में यह सामने आया कि यूँ तो पश्चिम में कम कार्बोहाइड्रेट वाले भोजन खाए जाते हैं पर अपने भोजन में चावल सम्मिलित करके विश्व स्तर पर मोटापे से ग्रसित लोगों की संख्या में 1 प्रतिशत या 7 मिलियन तक लोगों के मोटापे में कमी लाई जा सकती है। चावलों में पाए जाने वाले फाइबर, पौष्टिक तत्वों के कारण थोड़े में ही पेट भर जाता है और ज़रूरत से ज़्यादा खाने का डर भी नहीं रहता।

ये साल के 12 महीने खाए जा सकते हैं, लेकिन साथ ही बाजरा, रागी, ज्वार, कुट्टू, राजगीरा, सामो इत्यादि जो कि व्रत या खास मौकों पर खाए जाते हैं, उन्हे खाना न भूलें। आप एक बार के खाने में एक अन्न या गेहूँ की रोटी और दूसरी बार के खाने में चावल खा सकते हैं। या फिर तीनों समय चावल खायें पर साथ ही अन्य अनाज भी लें।

अक्सर पूछे जाने वाले प्रश्न

प्रश्न : चावल कैसे बनाएं?

उत्तर : जिस प्रकार आपको स्वादिष्ट लगे वैसे बनाऐं। आपकी दादी माँ का तरीका सबसे अच्छा है। ऐसा ज़रूरी नहीं कि चावल में से स्टार्च निकाला जाये; मांड एक ज़रूरी पोषक तत्व है, जिसके अणुओं के साथ अन्य पौष्टिक तत्व भी होते हैं। चावल में से पानी निकालने पर ये तत्व भी निकल जाते हैं। परम्परागत रूप से, इसे कुछ अनाजों के साथ पकाया जाता है और कांजी या पेज के रूप में पेश किया जाता है, जो परिवार के सभी उम्र के सदस्यों के जठरांत्र सम्बन्धी रोगों के लिए लाभदायक है, ये पनीला होता है और इसे चबाने की भी ज़रूरत नहीं होती। इसमें मौजूद विटामिन बी मेटाबॉलिक प्रक्रिया में सहायता देता है। इसलिए इससे पानी निकालने की सोच संसाधनों के अधिक बुद्धिमता पूर्ण उपयोग से हुआ, न कि मोटे हो जाने के डर से। रात में चावल खाना उनके लिए ठीक है जो सोचते तो हैं लेकिन सुबह व्यायाम नहीं कर पाते क्योंकि इनसे नींद अच्छी आती है।

प्रश्न : भूरे चावल ज़्यादा अच्छे होते हैं या सफेद?

उत्तर : सिंगल पॉलिश्ड सफेद चावल। भूरे चावल में बहुत ज़्यादा फाइबर होता है जो पोषक तत्वों जैसे ज़िंक जो इन्सुलिन

के कार्य करने के लिए उत्तरदायी है को सोख कर बनाया जाता है।

प्रश्न : किस प्रकार के चावल खायें?

उत्तर : भारत में कई किस्म के चावल उपलब्ध हैं। हर एक के अपने स्वाद सुगंध हैं। चावल में मौजूद सुगंधित मिश्रण के बहुत सारे लाभ है और शरीर में ये एंटीऑक्सीडेंट की तरह काम करते हैं और इनसे जल्दी बुढ़ापा भी नहीं आता। तो जिस प्रांत में आप रहते हैं वहाँ के चावल खायें।

प्रश्न : क्या चावल और रोटी साथ में खा सकते हैं?

उत्तर : जी हाँ, यदि आपको भूख है तो।

प्रश्न : अगर हम रात को देर से खाना खा रहे हैं तो क्या तब भी चावल खा सकते हैं?

उत्तर : जी हाँ, ये आसानी से हज़म हो जाते हैं। आप इसकी खिचड़ी या दाल के साथ खा सकते हैं।

प्रश्न : क्या मधुमेह के मरीज़ चावल खा सकते हैं?

उत्तर : चावल ज़्यादातर दाल, सब्ज़ी, मीट, दही, घी इत्यादि के साथ खाए जाते हैं। इससे भोजन का ग्लाइकेमिक स्तर निम्न हो जाता है और डायबटीज़ के मरीज़ों के लिए भी ये लाभदायक रहते हैं।

प्रश्न : मैं सिर्फ दाल चावल खाता हूँ तो बाद में मुझे फिर से भूख लगने लगती है।

उत्तर : ध्यान रहे कि दाल-चावल में घी डालकर पूरे ध्यान के साथ खायें। यदि फिर भी भूख लगती है तो रात को सोने से पहले दूध पियें।

प्रश्न : कितना खाएँ?

उत्तर : यदि आप शाम को 4 बजे से 6 बजे के बीच पौष्टिक आहार लेते हैं, व्यायाम करते हैं और खाते समय गैजेट्स (जैसे—मोबाइल इत्यादि) को अपने से दूर रखते हैं तो आप ठीक खा रहे हैं। न कम न ज़्यादा। कितना खाना है इसके बारे में और अधिक जानकारी आपको अगली गाइडलाइन में मिलेगी।

आठवां सप्ताह
दिशानिर्देश

सही मात्रा में खाने में मदद करने के लिए मेंटल मील मैप का उपयोग करें।
कल्पना करें कि आप कितना खाना पसंद करेंगे?
खुद को आधा हिस्सा परोसें।
खाना खाने में दोगुना समय लें।

दिशानिर्देश

खाने की सही मात्रा के लिए अपने दिमाग में भोजन का नक्शा तैयार करें, कल्पना करें कि आपको कितना खाना खाना है उसका आधा अपनी प्लेट में लें और उसे खाने में दोगुना समय लें।

नोट्स

हठ योग प्रतिपदा के अनुसार जब आँखें स्पष्ट हो जाती हैं, शरीर स्वस्थ और भूख बढ़ जाती है, तो यह सफलता का संकेतक है। कोई आश्चर्य नहीं कि जब आप खाने के भाग नियंत्रण करते हैं, तो भूख मारने या कम खाने के लिए चाय, कॉफी, च्युइंगम, सूप, फाइबर जेल आदि का सहारा लेते हैं ऐसी स्थिति में वजन कम करने की सफलता मायावी हो जाती है या यूँ कहें कभी हाथ नहीं आती।

एक अच्छी ज़िन्दगी वह है जहाँ आप अपनी ज़रूरत और लालच के बीच अन्तर बताने में सक्षम हैं। एक ऐसा जीवन जहाँ आप अपराध बोध, पछतावा और निराशा की भावनाओं के बिना भोजन, फिटनेस और स्वास्थ्य का आनंद लेना सीखते हैं। लेकिन आज हम महसूस करते हैं कि हम मोटे इसलिए हैं क्योंकि हम बहुत अधिक खाते हैं या बहुत अधिक कैलोरी का उपभोग करते हैं। सच्चाई यह है कि हम ओबिसजेनिक, वातावरण में रह रहे हैं—हमने ऐसी परिस्थिति और आदतें बना दी हैं जहाँ सही मात्रा में भोजन करना लगभग असम्भव हो गया है। और इसलिए, हमारे पास मानसिक भोजन का नक्शा है, एक ऐसा सरल उपकरण जिसका उपयोग कोई भी अपनी भूख को समझने के लिए कर सकता है और सीख सकता है

कि कितना खाना है।

नीचे दिया गया इंफ़ोग्राफ़िक मेंटल मील मैप के सामान्य चरणों की व्याख्या करता है

पहला कदम : सोचें कि आपको कितना खाना है

दूसरा कदम : खुद को उसका आधा परोसें

तीसरा कदम : इसे खाने में दोगुणा समय लें (या उतना लें जितना आप पूरे खाने में लेते)

चौथा कदम : अगर फिर भी भूख लगी हो तो फिर पहले कदम से शुरुआत करें

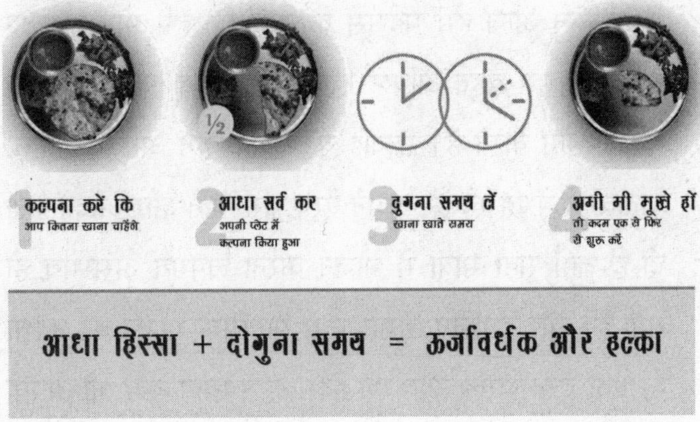

1 कल्पना करें कि
आप कितना खाना चाहेंगे
2 आधा सर्व कर
अपनी प्लेट में
कल्पना किया हुआ
3 दुगना समय लें
खाना खाते समय
4 अभी भी भूखे हों
तो कदम एक से फिर
से शुरू करें
आधा हिस्सा + दोगुना समय = ऊर्जावर्धक और हल्का

खजूर और कॉफ़ी

मेरे काम की सबसे अच्छी चीज़ों में यात्राएँ करना और दूसरे देशों की संस्कृतियों में झांकना है। और सभी प्राचीन संस्कृतियों में बिल्कुल वही नानी दादी का भरोसा और वही आम संस्कृति है। एक वार्ता के लिए जॉर्डन की यात्रा पर, मुझे पता चला कि यहाँ एक नियम है कि आप एक समय में कितने खजूर और अरबी कॉफी ले सकते हैं। तो जब आप एक खजूर लेकर जाते हैं तो आपको निश्चित रूप से अपने मेजबान द्वारा ऑफर की गयी एक कप कॉफ़ी ज़रूर पीनी चाहिए। लेकिन आपको अपने आप को दूसरे की अनुमति केवल तभी देनी चाहिए, यदि आपके पास तीसरा (खजूर और कॉफ़ी) हो। दो या चार या सम संख्याओं पर रोक की अनुमति नहीं है।

मुझे महसूस हुआ कि यह खाना खाते समय, कब खाना बन्द करना है कितना खाना है इसे जानने और रोकने का बहुत ही सुन्दर और व्यावहारिक तरीका है। योग भी कहता है कि जब आपका खाना खत्म हो तो आपको लगना चाहिए कि आपने अपनी भूख से पचीस प्रतिशत कम खाया है, लेकिन जॉर्डन आपको केवल सिद्धांत नहीं बल्कि व्यावहारिक रूप से ऐसा दिखाता है।

अक्सर पूछे जाने वाले प्रश्न

प्रश्न : क्या यह मेंटल मैप केवल मुख्य आहार (लंच, डिनर) के लिए है या मैं इसे चाय, कॉफ़ी, और फलों को खाते हुए भी फॉलो कर सकता हूँ?

उत्तर : एक आदर्श स्थिति में आप इसका प्रयोग कहीं भी कर सकते हैं। जब आपको लगे कि आपका पेट भर गया है उसी वक्त खाना बन्द कर दें। आप इसे लंच या डिनर के समय से शुरू कीजिए और कुछ दिनों के बाद आपको खुद ही पता चल जायेगा या यूँ कहें कि पेट अलार्म की तरह आपको संकेत देने लगेगा। और हम लोग मूलत: कटिंग चाय वाले लोग हैं इसलिए सांस्कृतिक रूप से इस प्रथा की सराहना करते हुए सचेत भी रहते हैं।

प्रश्न : उस स्थिति में मैं क्या करूँ जब कोई चीज बहुत पसन्द हो, क्या मैं ज़्यादा खा सकता हूँ?

उत्तर : हाँ हाँ बिल्कुल, हर तरह से। चाय, समोसा और जलेबी हमारे लिए इतने खास हैं कि आप बिना किसी झिझक के दो, चार बाईट ज़्यादा खा सकते हैं। आप इसे इतने मजे से खायें कि खाने के बाद आपके जेहन में इसकी एक खुशनुमा याद रहे। यहाँ मैं अपने क्लाइंट्स से हमेशा एक बात कहती हूँ कि मेरे पास ज़्यादा खाने का गुप्त नुस्खा वो है कि क्या इसके बाद

मैं अच्छा सेक्स, किसी से अच्छी बात हंसी मजाक या कोई बिज़नेस डील कर सकती हूँ? यदि इसका उत्तर हाँ में है तो ज़्यादा खाना ठीक है। आप इसका आनंद उठाइये और अगली बार सामान्य भोजन कीजिये। बस इसका मूल मन्त्र यही है कि आप अपनी भूख के प्रति सचेत रहें और समझें कि आपने कब लक्ष्मण रेखा पार कर दी।

प्रश्न : पूरे खाने की बजाय क्यों न इसके कुछ भाग को नियन्त्रित करें?

उत्तर : क्योंकि भूख स्वयं में एक चलती फिरती सत्ता की तरह है। भूख को मौसम, आप किसके साथ खा रहे हैं, आपकी मानसिक अवस्था, आप कहाँ खा रहे हैं सारी चीजें प्रभावित करती हैं। यहाँ तक कि आपकी व्यायाम क्षमता, नींद की गुणवत्ता भी आपकी भूख को प्रभावित करता है। तो अपने खाने के साथ पूरी तरह जुड़ें और उतना ही खायें जितनी आपके पेट को ज़रूरत है न ज़्यादा न कम। कुछ समय के बाद आपके पेट और भूख की जागरूकता, सतर्कता बिल्कुल सामान्य हो जायेगी और इसके लिए आपको ज़्यादा मेहनत मशक्कत नहीं करनी पड़ेगी।

आलिया और दो साधु

न्यूयॉर्क शहर की एक अनिच्छुक यात्रा के बाद आलिया मेरे कार्यालय में बैठी बता रही थी कि उसने बहुत ज़्यादा खाना खा लिया है और थोड़ी ड्रिंक्स भी ली है। 'तुमने अच्छा समय व्यतीत किया' मैंने उससे पूछा। 'मेरी लाइफ का बेहतरीन समय' उसने कहा 'तब वसूल करो, मैंने कहा। उसने मेरी तरफ देखा, वो थोड़ी परेशान, व्याकुल दिख रही थी। एक आहार विशेषज्ञ के नाते मुझे एक बुरी लड़की की भूमिका निभानी चाहिए। मेरे पास अच्छा समय नहीं है प्लीज।

'तुमने दो साधुओं की कहानी सुनी है' मैंने पूछा—उसने कहा नहीं। दो साधु मठ में जाते हैं और उन्हें वहाँ ब्रह्मचर्य की शपथ दिलाई जाती है। मठ एक जंगल में, पहाड़ी की चोटी पर है, रास्ते में पार करने के लिए जंगली धाराएँ हैं। ऐसी ही एक धारा के पास, भिक्षुओं को एक छोटी कद काठी की युवा महिला दिखाई देती है जो धारा को पार करने के लिए संघर्ष कर रही है। उनमें से एक भिक्षु आगे झुकते हुए उस महिला को बांह में उठाकर दूसरे किनारे छोड़ देता है। फिर दोनों भिक्षु ऊपर मठ की और आगे यात्रा जारी

रखते हैं। जैसे-जैसे पहाड़ी करीब आती है, चढ़ाई कठिन होती जाती है, और जोर जोर से सांस लेने वाला साधु उस दूसरे भिक्षु से जिसने महिला को गोद में उठाकर पार कराया था पूछता है कि तुम कौन-सा मुँह लेकर मठ जा रहे हो? तुमने ब्रह्मचर्य का व्रत लिया था और तुम्हें लगता है कि महिला को गोद में उठाना तुम्हारे व्रत के खिलाफ नहीं था।' लेकिन मैंने तो उसे किनारे पर उतार दिया लेकिन तुम्हारे जेहन में वो अभी भी है, दूसरे साधु ने जवाब दिया'

'ओह मुझे यहाँ बार बार आना चाहिए,' आलिया ने कहा और सुनो अपनी कहानी 'आओ पुत्री आओ। खाना नहीं, अपराध बोध परेशान कर रहा है।

नौवां सप्ताह
दिशानिर्देश

दिशानिर्देश

रोज सूर्यनमस्कार का अभ्यास करें।

नोट्स

हमारे पास अब केवल चार हफ़्ते बचे हैं, अब तक आप लोगों ने अपनी जीवनशैली में बदलाव लाने वाले आठ गाइडलाइन्स को सीखा है अब एक नई चीज आपके सामने है। वो जो वर्षों से समय की कसौटी पर खरा उतरा है, वह जिसने शक्ति और संयम के बीच की खाई को कम किया है और जिसे हम सूर्यनमस्कार कहते हैं। प्राचीन भारत में बच्चों के रोजाना रूटीन जैसे, ब्रश, नहाना खाना आदि में पाँच सूर्यनमस्कार भी शामिल थे। मेरे दादा जी या अजोबा का देहाँत 87 साल की उम्र में दोपहर में हुआ था लेकिन उस वक्त तक उन्होंने अपना सूर्यनमस्कार, सफाई, लंच आदि कर लिया था। आप लोगों को आश्चर्य होगा कि आज लगभग हर कोई चाहता है कि मेरे सिक्स पैक्स हों और उसके लिए वो खूब पसीना बहाते हैं पैसे खर्च करते हैं पर मेरे दादाजी को सिर्फ अपने रोजाना रूटीन, सूर्यनमस्कार की वजह से सिक्स पैक्स था, जबकि उनकी इच्छा सिक्स पैक्स बनाने की नहीं थी।

सूर्यनमस्कार के कुछ सामान्य नियम

➤ घर में किसी ऐसी निश्चित जगह को चुनें जहाँ अच्छी हवा, रौशनी आती हो

➤ इसके लिए एक समय तय कर लें, वैसे सूर्योदय और सूर्यास्त इसके लिए सबसे अच्छा समय है लेकिन आप अपनी सुविधा के हिसाब से नाश्ते या नहाने के बाद या जो भी समय आपको ठीक लगे आप कर सकते हैं।

➤ बिल्कुल सामान्य तरीके से सांस लें और इसके आसन सीखने के लिए थोड़ा समय लें, जल्दबाजी न करें।

➤ एक बार दाईं और और एक बार बाईं ओर एक साथ मिलाकर एक पूरा राउंड होता है।

विडियो लिंक :

www.youtube.com/qatch?v=BolydiuO50A

रोजाना सूर्यनमस्कार के फायदे

मोटे तौर पर फिटनेस के चार घटक हैं—स्ट्रेंथ, स्टेमिना, स्ट्रेचिंग, और स्टेबिलिटी। आप इसे फिटनेस के चार एस भी कह सकते हैं। दरअसल सूर्यनमस्कार एक ऐसी क्रिया है जो फिटनेस के इन चारों कंपोनेंट्स के साथ जुड़ा है और इसे करने के लिए आपको न तो ज़्यादा जगह की ज़रूरत है न ज़्यादा समय और न ही पैसों की। मतलब निवेश कुछ खास नहीं पर फायदे अनेक। आप इसे कभी भी कहीं भी कर सकते हैं, बस इसके लिए आपको एक चीज चाहिए और वो है अनुशासन। जगजीत सिंह की एक मशहूर गजल है न उम्र की सीमा हो न जन्म का हो बंधन, बस सूर्यनमस्कार भी उसी तरह है। इसे किसी भी उम्र, समय में आप कर सकते हैं, यह हर उम्र और जेंडर के लिए फायदेमन्द है। सूर्यनमस्कार का नियमित अभ्यास :

- ☑ आज कहने को तो लोगों की दिनचर्या बहुत भागदौड़ वाली हो गयी है लेकिन सच्चाई ये है कि लोगों की एक्टिविटी बहुत कम हो गयी है। लोग घंटों लैपटॉप, फ़ोन, या टीवी के सामने बैठे रहते हैं, इस चक्कर में उन्हें अपने गलत पोस्चर (आसन) का ध्यान ही नहीं रहता नतीजा, बैक पेन, स्पाइन की समस्या जैसी कई बीमारियां उन्हें जकड़ लेती हैं। कमजोर शरीर और बहुत गुस्से वाला दिमाग,

यह हमारे स्पाइन और शरीर के पिछले भाग की कमजोरी की निशानी है। सूर्यनमस्कार एकमात्र ऐसा व्यायाम है जो हमारी ग्रंथियों, थायरॉय, एड्रेनल्स, पिट्यूटरी पर सीधे असर करता है। सूर्यनमस्कार के नियमित अभ्यास से शरीर में हार्मोन अच्छे से कार्य करता है।

☑ इससे आपको चमकदार, निखरी त्वचा मिलती है। अच्छी निखरी स्किन सिर्फ कॉस्मेटिक नहीं बल्कि अच्छे स्वास्थ्य का भी प्रतिबिंब है। त्वचा (स्किन) हमारे शरीर का सबसे बड़ा अंग है और अगर यह हेल्दी है तो इसका मतलब आपकी किडनी, लीवर, हर्ट और शरीर के सारे अंग हेल्दी और अच्छी तरह से पोषित हैं।

☑ हार्मोनल संतुलन—सूर्यनमस्कार एक मात्र ऐसा व्यायाम है जो हमारे ग्रंथियों को सीधे प्रभावित करता है/स्तर तक यह अभ्यास ग्रंथियों, थायरॉयड, एड्रेनल्स, पिट्यूटरी सूर्यनमस्कार के नियमित अभ्यास से शरीर में हार्मोन अच्छे से कार्य करता है और मेटाबोलिज्म के आइडियल लेवल से लेकर, दर्द मुक्त पीरियड्स, विटामिन डी के अच्छे स्तर तक सारी समस्याओं से आपको दूर रखता है।

सूर्यनमस्कार के लिए कुछ विशेष सलाह

1. अगर आपने कभी सूर्यनमस्कार नहीं किया है

- हर दूसरे दिन दो बार इसका अभ्यास करें
- तीसरे हफ़्ते से हर दूसरे दिन की बजाय अब दिन में दो बार इसे करें
- और इस तरह हर एक हफ़्ते के बाद एक राउंड बढ़ाते रहें

2. सूर्यनमस्कार करें लेकिन नियमित तौर पर नहीं

- इसके लिए किसी प्रकार का समझौता न करें, मतलब बिना सूर्यनमस्कार किये घर से न निकलें।
- हफ़्ते में पाँच दिन काफी है, इसपर टिके रहें।
- अगर आपको ऐसा लगता है कि और अभ्यास बढ़ाना चाहिए तो इसके लिए बारह हफ़्ते तक इन्तजार करें। दिमाग को इसके लिए स्थिर करें, तैयार करें।

3. अगर आप इसे लगातार कर रहे हैं

- रुकें नहीं रविवार को भी सूर्यनमस्कार करें
- पाँच से कम और बारह से ज़्यादा बार अभ्यास न करें
- आपका ध्यान इस बात पर हो कि सूर्यनमस्कार हर स्टेप के बाद बेहतर होना चाहिए न कि सिर्फ इसके नम्बर बढ़ाकर।

अक्सर पूछे जाने वाले प्रश्न

प्रश्न : अगर मौसम बहुत गर्म हो या मैं बहुत थका हूँ तो ऐसी स्थिति में क्या करूँ?

उत्तर : यदि किसी दिन बहुत गर्मी हो, आप बहुत थके, कमजोरी महसूस कर रहे हों तो उस दिन बस दाहिने पैर को आधे भाग पर ले जाकर छोड़ दें। केवल बाएं ओर अपना राउंड करें और देखें कि आप कितना हल्का महसूस करते हैं।

प्रश्न : क्या मैं माहवारी के दौरान सूर्यनमस्कार कर सकती हूँ?

उत्तर : इसके लिए आप मेरी नहीं अपने शरीर की आवाज सुनिये। अगर आप अच्छा महसूस कर रही हों तो कीजिये, लेकिन जैसे ही कमजोरी महसूस हो तो कम या बन्द कर दीजिये।

प्रश्न : पीएमएस की स्थिति में इसे कैसे मॉडिफाई किया जाय?

उत्तर : केवल बाएं से पूरे तीन राउंड से शुरू कर दो राउंड पर ख़त्म कर दें।

सूर्यनमस्कार का पूरा राउंड = दाहिने पैर को आगे करते हुए पूरा सीक्वेंस + बाएं पैर को आगे करते हुए पूरा सीक्वेंस

बाईं ओर एक चक्कर = बाएं पैर को आगे करते हुए पूरा सीक्वेंस + दोबारा

प्रश्न : अगर मुझे घुटने या बैक पेन की समस्या है?

उत्तर : आप सही तकनीक पर ध्यान देकर इसे कर सकते हैं। सीक्वेंस में करें लेकिन वो आसन नहीं करें जिससे दर्द हो।

दसवाँ सप्ताह
दिशानिर्देश

दिशानिर्देश

दिन भर शर्बत और
अन्य मौसमी पेय पदार्थों से
हाइड्रेटेड रहें

नोट्स

पिछले कुछ गाइडलाइन्स में, हमने हेल्थ और फिटनेस के बारे में अपनी बातचीत को संख्या, लेबल और फ़ूड ग्रुप्स से आगे बढ़ाया है और अब हम इसे एक कदम और आगे बढ़ायेंगे।

आमतौर पर हम अपने खानपान को मौसम के अनुसार बदल देते हैं। जैसे कि— गर्मियों में आप सुस्त, कमजोर और बीमार हो जाते हैं। और सर्दियों में पसीना कम आने के कारण आपको अपनी प्यास का पता नहीं चलता, जिसके कारण आपके शरीर में पानी की कमी हो जाती है।

पर अच्छी ख़बर यह है कि अब आपको ऐसे नहीं रहना पड़ेगा। अलग-अलग मौसमों में हेल्दी रहने के कई आसान तरीके हैं जिसके बारे में इस हफ़्ते की गाइडलाइन में चर्चा की जायेगी।

कुछ प्रचलित पेय और उनका सेवन कब और कैसे किया जाये इस प्रकार है :

➢ **नारियल पानी—दोपहर से पहले**—यह ऐसिडिटी और कील-मुँहासे को कम करता है। गर्मियों में यदि आपके रोमछिद्र बड़े हो जाते हैं तो सप्ताह में एक या दो बार नारियल पानी में आधा चम्मच तुलसी के बीज

मिलाकर पीजिये।

➢ **छाछ (बटरमिल्क)**—विटामिन बी12 का एक अच्छा स्रोत होने के अलावा, छाछ पीने से आपको दोपहर बाद पेट में जकड़न, गैस, सूजन आदि की समस्या नहीं होगी। खासतौर पर तब जब आप ब्लड प्रेशर या डायबटीज़ की दवाई ले रहे हों या हाल ही में ऐंटिबायोटिक का कोर्स बन्द किया हो। खाने के बाद मीठा खाने की तलब भी इससे कम होगी।

➢ **नींबू शरबत—शाम के वक्त**—नींबू पानी में नमक, चीनी, जीरा और काली मिर्च घोलकर पियें। गर्मियों में आपके पास कई किस्म के शरबतों का विकल्प होता है, जैसे—पलाश, कोकुम, (रताम्बी) सौंफ, बेल आदि। ये आपके शरीर के लिए प्राकृतिक एयर कंडीशनर का काम करते हैं—इनके सेवन से आपके शरीर में इलैक्ट्रोलाइट या पानी में घुलनशील विटामिनों का स्तर नीचे नहीं जाता है खासकर ब्लड प्रेशर के मरीजों के लिए यह बहुत फायदेमन्द है।

➢ **कुलीथ (हॉर्स ग्राम) डिनर में**—अगर आपको भूख नहीं लगती, थके थके से महसूस करते हैं या पेट में बहुत ज़्यादा गैस बनती हो तो आपको कुलीथ का सेवन करना चाहिए। इसे आप दाल या पिथला (सूप) के रूप में

पकाकर चावल या दही के साथ खा सकते हैं (इसे बनाने की विधि हर क्षेत्र में मिल जाती है)। इससे न केवल नींद अच्छी आयेगी बल्कि यह आपकी स्किन और गैस की समस्या के लिए भी बहुत लाभदायक है। फॉलिक एसिड और मिनरल्स से भरपूर कुलीथ सही मायनों में भारत में दालों का राजा है। डायबटीज़ और कमज़ोर पाचन क्रिया वाले लोगों के लिए यह रामबाण (पैनेसिया) है।

➤ **आंवला शरबत और काली गाजर की कांजी—** न्यूट्रिशन से भरपूर उत्तर भारत में पिए जाने वाले ये दो पेय आपको बहुत आराम से गर्मियों से सर्दियों के मौसम की ओर ले जाते हैं। ऐसा मैं इसलिए कह रही हूँ क्योंकि इस मौसम में लोग अक्सर तापमान बदलने से बीमार पड़ते हैं और इन शर्बतों में प्रचुर मात्रा में पाया जाने वाला विटामिन—C और विटामिन—A आपके शरीर के लिए सुरक्षा कवच की तरह काम करता है। वातावरण में प्रदूषण स्तर के बढ़ने की स्थिति में भी इनके सेवन से शरीर को लाभ पहुँचता है।

कुलीथ के सन्दर्भ में कुछ और जानकारी

उत्तर से दक्षिण और पूर्व से पश्चिम में कुलीथ भारत में हर जगह खाई जाने वाली एक किस्म की दाल है जिसमें औषधीय गुण पाए जाते हैं जो खासकर गुर्दे में पथरी हो जाने के बाद औषधि की तरह काम करता है। यह डाइट में प्रोटीन प्राप्त करने का सस्ता और अच्छा स्रोत है। आप इसका सूप बना सकते हैं, इसकी दाल बनाकर चावल के साथ खा सकते हैं, या फिर उबालकर आलू की तरह मथ लें और पराठे बनाकर खाएँ।

अच्छे परिणामों के लिए, अन्य दालों की तरह भिगोऐं, अंकुरित करें और फिर पकाऐं। यह मेनोपॉज़ के दौरान रूखी त्वचा के लिए बहुत गुणकारी है।

इन परम्परागत पेयों के लाभ

हमारे देश में हर मौसम के लिए अलग-अलग क्षेत्रों के हिसाब से बहुत सारे ट्रेडिशनल ड्रिंक्स हैं। आयुर्वेद में दिन के भोजन के दौरान या तो मुख्य भोजन के रूप में या फिर इनके साथ इन परम्परागत पेय को लेने का जिक्र है जिससे कि पाचन शक्ति ठीक होती है और यह इम्यून सिस्टम को भी मजबूत बनाता है। ये ड्रिंक्स आपको हर मौसम में तरोताजा रखने के साथ ही अलग स्वाद, रंग से भी परिचित कराते हैं। इन ड्रिंक्स के कुछ और फायदे :

- ☑ गैस और पेट में सूजन की परेशानी से आराम
- ☑ शरीर में हेल्दी बैक्टीरिया में वृद्धि और इंटेस्टिनल म्यूकोसा का पोषण
- ☑ चमकदार त्वचा
- ☑ यूटीआई और बुखार से बचाव
- ☑ शरीर में जकड़न और दर्द से आराम

अक्सर पूछने जाने वाले प्रश्न

प्रश्न : गर्मियों में नींबू पानी, नारियल पानी और शरबत के अलावा और किन-किन पेयों का सेवन किया जा सकता है?

उत्तर : हर प्रांत के अपने कुछ पेय हैं, जैसे—

आम्बिल—छाछ या दही में रागी (या नछनी) का मसालों के साथ मिश्रण।

पन्ना—केसर डला हुआ कच्चा कैरी (कच्चे आम) का शरबत, बंगाल में गर्मियों में आम को पकाकर पिया जाने वाले ड्रिंक्स

नीरा—ताड़ (पाम) का शरबत जो अनिद्रा से लेकर ऐग्ज़ीमा (चर्म रोग) जैसी बीमारियों से बचाता है।

ठंडाई, नान्नारी, कोकम, बुरांश, बेल शरबत इत्यादि गर्मियों में पिए जाने वाले अन्य शरबत हैं।

प्रश्न : क्या गर्मियों में गन्ने का रस पी सकते हैं?

उत्तर : वैसे तो गन्ने का रस सर्दियों में पिया जाता है, पर यदि आप गर्मियों में पी रहे हैं तो उसमें एक टुकड़ा अदरक डाल लें और दोपहर से पहले ताजा-ताज़ा ही पियें।

प्रश्न : सर्दियों के लिए कुछ और विकल्प?

उत्तर :

- छाछ के अलावा 11, 12 बजे या शाम 3, 4 बजे के आसपास लस्सी ले सकते हैं।
- डिनर में कुलीथ की दाल बाजरे के साथ खायें। इसे चावल के साथ भी खा सकते हैं।
- सुबह आंवले का रस पियें। दिन के प्रारम्भ या अन्त में दूध के साथ च्यवनप्राश का सेवन करें।
- लंच में मूँगफली और गुड़ या काजू और गुड़ भी ले सकते हैं।

प्रश्न : ताज़ा नारियल पानी नहीं मिले तो इसकी जगह क्या लें?

उत्तर : जब नारियल पानी न मिले तो कोकुम, नींबू, आम्बिल, पन्ना, बेल, बुरांश कुछ भी पी सकते हैं।

प्रश्न : आपने कुलीथ के बारे में बताया पर यह तो बहुत गरम होता है।

उत्तर : पारम्परिक रूप से सभी दालें सर्दियों में काटकर जमा की जाती हैं ताकि पूरे साल खाई जा सके। तो सर्दियों में कुलीथ के पराठे खाइये जैसे हिमालयी क्षेत्र में खाते हैं और गर्मियों में उसी कुलीथ को महाराष्ट्र में कलान की तरह दही या छाछ के साथ पकाकर, ड्रिंक्स की तरह पी सकते हैं। दोनों ही मौसमों में इसका सेवन किया जा सकता है। इसे खाने से त्वचा पर जल्दी

झुर्रियाँ नहीं आतीं और हीमोग्लोबिन का स्तर बढ़ता है साथ ही इम्यून सिस्टम भी अच्छी होती है।

इन रेसिपियों को बनाने में हमारी दादियों ने सदियाँ लगाईं, अब हमारी बारी है कि हम इसका प्रयोग कर खुद को ठंढ़ा तरोताजा रख उनकी रेसिपी का सम्मान करें।

अफ़गानिस्तान

काबुल : हाल ही में इंडियन ऐम्बेसी में संयुक्त राष्ट्र से अपनी वार्ता के लिए यहाँ बिताए गये दो दिनों पर मैं एक पूरी किताब लिख सकती हूँ लेकिन मेरा सारा ध्यान वहाँ के 'हफ्त मेवा' ने छीन लिया। एक ऐसा ड्रिंक जो वहाँ के लोकल ड्राई फ्रूट्स, शहतूत (मलबरी) से बना था। वहाँ के लोग इसे सड़क किनारे वसंत ऋतु के आने की ख़ुशी में पीते हैं। इसे पीने के बाद मन में ऐसा भाव आता है कि मानो सब ठीक और शांत होगा, वो 'सर्वे भवन्तु सुखिना' का एहसास। (लेकिन लेडी गागा की तरह नहीं)

ग्यारहवां सप्ताह
दिशानिर्देश

दिशानिर्देश

अच्छे हेल्थ के लिए किचन के इन तीन नियमों का पालन करें—

1. प्लास्टिक का प्रयोग बन्द करें

2. लोहे की कढ़ाई को फिर से वापस लायें

3. खाना माइक्रोवेव में गरम करने की बजाय गैस पर गरम करें

नोट्स

फिटनेस से जुड़ी कोई भी बात वास्तव में हमारे रसोईघर से आरम्भ होती है। यही वह जगह है जहाँ से स्वास्थ्य, सौहार्द और खुशियां निकलती हैं।

➢ प्लास्टिक का प्रयोग कम करें—आप इन आसान कदमों से शुरुआत कर सकते हैं—

1. सब्ज़ी और फलों की खरीदारी के लिए प्लास्टिक के थैलों की जगह कपड़े के थैलों का प्रयोग करें। प्लास्टिक और थर्मोकॉल में आने वाली सब्जियाँ खरीदना बन्द करें।
2. प्लास्टिक के टिफिन बॉक्स (खास तौर पर गरम खाने के लिए) का प्रयोग बन्द करें, और प्लास्टिक की कटलेरी का प्रयोग न करें, हाथ से खाएें। फलों और खाने के डब्बों के लिए क्लिंज फिल्म (एक पतली प्लास्टिक की पन्नी जो खाना लपेटने के काम आती है) का प्रयोग भी न करें। बहरहाल आपकी जानकारी के लिए बता दूँ कि प्लास्टिक की कटलेरी पर प्रतिबंध लगाने वाला फ्रांस पहला देश है। स्टील के डिब्बे का प्रयोग करें और रोटी को मलमल के

कपड़े में लपेटें।

3. यात्रा के दौरान पानी के लिए प्लास्टिक की बोतल के स्थान पर स्टील या ताँबे की बोतल का प्रयोग करें।

➢ लोहे की कढ़ाई का ज़्यादा प्रयोग करें— जी हाँ, इनसे नाता जोड़ें।

1. टैफ्लोन—कोटिड नॉन-स्टिक कढ़ाइयों को अलविदा कहें जिन्होंने आपको यह विश्वास दिलाया है कि वसा से बचना सेहत के लिए अच्छा है (अब आप जानते हैं कि यह सच नहीं है)।

2. पोहा, उपमा और सब्ज़ी लोहे की कढ़ाई में बनाएं। उसमें घी या तेल डालना न भूलें। मैं दावे के साथ कह सकती हूँ कि आपके शरीर में कभी आयरन की कमी नहीं होगी।

3. एल्युमिनियम के बर्तनों और फॉइल्स का प्रयोग भी बन्द करें। आप स्टेनलैस स्टील, पीतल या अन्य धातुओं का प्रयोग कर सकते हैं। एल्युमिनियम का प्रयोग हमारे शरीर में पाए जाने वाले महत्त्वपूर्ण पदार्थ ज़िंक के स्तर को घटा देता है। जो दिमागी स्वास्थ्य और डायबटीज़ के लिए अत्यधिक महत्त्वपूर्ण है।

➢ खाना माइक्रोवेव में गरम करने की बजाय गैस पर गरम करें—पहली बात तो ये है कि यदि आप माइक्रोवेव में खाना गरम करते हैं, तो इसका अर्थ है कि आप खाने को ज़रूरत से ज़्यादा पका रही हैं और फिर ज़रूरत से ज़्यादा खा रही हैं। इसके बाद बचाकर फ्रिज में रख रही हैं और फिर दुबारा, खा रही हैं। तो इस बुरी आदत का अन्त करें। यदि आपको खाना गरम करना है, धीमी आँच पर गैस पर गरम करें। माइक्रोवेव करना भोजन में मौजूद पौष्टिक तत्वों के लिए हानिकारक होता है। ऐसा करने से भोजन उच्च तापमान पर गरम हो जाता है और पौष्टिक तत्वों में पाए जाने वाले बांड टूट जाते हैं और वे ऑक्सीडाइज होकर आपके शरीर के लिए जहरीले हो जाते हैं।

सोचो मत ज़्यादा, वापस जाओ और अपने रसोईघर की सफाई करो। परिवार के पुरुषों को इसमें शामिल करना न भूलें।

क्यों?

☑ प्लास्टिक हमारे वातावरण के लिए ही नहीं बल्कि हमारे शरीर में हार्मोनल संतुलन के लिए भी एक बहुत बड़ा प्रदूषक (पॉल्यूटैंट) है। यह हमारे शरीर में एस्ट्रोजीनिक रसायन छोड़ती है और मेल, फीमेल हॉर्मोन्स के अनुपात के लिए खतरा पैदा करती है। खासतौर पर यदि आपको पीसीओडी, मुहाँसे हैं या आप युवा लड़की हैं तो यह बात बहुत महत्त्वपूर्ण है।

☑ लोहे की कढ़ाई कम खर्च में आपकी डायट में आयरन का एक महत्वपूर्ण स्रोत है।

एनर्जी की कमी, उत्साह और गुस्सा हीमोग्लोबिन की कमी से व्यक्ति को थकान, गुस्सा, चिड़चिड़ापन सहित कई तरह की समस्याएं होती हैं। माइक्रोन्यूट्रिएंट डेफिसिएन्सी के लिए हमेशा महंगे सप्लीमेंट की ज़रूरत नहीं होती। आपके किचन में बिना खर्च के बस एक छोटे से बदलाव से यह सम्भव है। जिन महिलाओं को महावारी के दिनों में अधिक या कम खून आता है उन्हें प्राय: आयरन की गोलियाँ दी जाती हैं। किन्तु बहुत सी महिलाएँ इनसे होने वाली पाचन समस्याओं के कारण इसे नहीं ले पाती हैं। केवल लोहे की कढ़ाई में खाना पकाने से इन समस्याओं छुटकारा मिल सकता है। मेरे कई क्लाइंट्स ने जिनका हीमोग्लोबिन स्तर 9 के आसपास था केवल लोहे की कढ़ाई और तवे का प्रयोग करके अपने

इस स्तर को 9 से 12 तक पहुँचाने में सफलता पाई है। आप इन बर्तनों में भाखड़ी, चीले, डोसा दाल और सब्ज़ी तक बना सकती हैं। कभी-कभी मैं सोचती हूँ कि हमने एल्युमिनियम, प्लास्टिक, नॉन-स्टिक के लिए लोखण्ड, पीतल और तांबे का व्यापार क्यों किया?

☑ भोजन को गैस पर पकाना—यह हमारे ज्ञान का ऐसा धागा है जो हमें हमारे अतीत से जोड़ता है और भविष्य में ले जाता है। बतौर होमो सेपियन्स हमारी सबसे ज़्यादा प्रगति का सम्बन्ध इस बात से है कि हमने अपने भोजन को पकाना शुरू कर दिया जिससे हमारे शरीर और दिमाग को ज़्यादा पोषण और ऊर्जा मिली और हम सभी जातियों पर वर्चस्व (डोमिनैंस) स्थापित कर पाए। खाना बनाने को साधारण काम समझा जाता है और शायद इसी वजह से लैंगिक भेदभाव शुरू हुआ। किचन को एक ऐसा साम्राज्य माना गया जिसकी डोर हमेशा महिलाओं के हाथ में रही लेकिन यहाँ के काम को पुरुषों द्वारा हमेशा कम करके आँका गया। परन्तु यह कोई निम्न स्तर का काम नहीं है। भोजन पकाने के लिए शांत, संयमित और क्रिएटिव दिमाग की ज़रूरत होती है। और फिर एक बात जिसकी चाह नये भारत को और नये भारत में होनी चाहिए वह यह है कि वे मर्द जो भोजन पकाना जानते हैं— अपनी पत्नियों/साथियों के लिए खाना बनाएं और इसमें शर्मिंदगी की बजाय गर्व महसूस करें। स्कूल और कॉलेजों में मेरे द्वारा किये गये सेमिनार में मैं लड़कियों से कहती हूँ कि वे केवल ऐसे लड़कों के साथ डेट पर

जाएँ जो दाल-चावल पकाना जानते हों। यदि आप मुझसे पूछें तो लैंगिक आधार पर समान समाज की शुरूआत किचन से होती है। इस पर ध्यान दें कि वहाँ कौन, क्या और कैसे पका रहा है।

अक्सर पूछे जाने वाले प्रश्न

प्रश्न : मैं विदेश में रहता हूँ और अधिकतर हफ़्ते में एक बार खाना बनाता हूँ, फिर पूरे हफ़्ते वही खाता हूँ। ऐसे में यदि माइक्रोवेव का प्रयोग न करूँ तो क्या करूँ?

उत्तर : जितना भोजन आप खाना चाहते हैं एक छोटे बर्तन में निकाल लें (भारत की अपनी अगली यात्रा के दौरान कुछ बर्तन खरीद लें) और धीमी आँच पर पकाएं। ऐसा करने में माइक्रोवेव से एक या दो मिनट अधिक लगेगा पर जो पोषण और स्वाद उसमें बना रहेगा वह इस परेशानी से कहीं ज़्यादा अच्छा होगा। यदि आप साधारण चूल्हे का प्रयोग नहीं कर सकते हैं और माइक्रोवेव इकलौता विकल्प है तो प्लास्टिक की जगह मिट्टी या काँच के कटोरे का प्रयोग करें। सही राह में उठाया गया हर कदम मायने रखता है। और जैसे-जैसे आप बताई गयी गाइडलाइन्स को फॉलो करेंगे, एक समय के बाद, हफ़्ते में कम से कम एक बार और खाना बनाने की एनर्जी आपके अन्दर आ जायेगी।

प्रश्न : जब मैं लोहे की कढ़ाई में खाना बनाती हूँ तो यह काली हो जाती है जो बहुत गंदा दिखता है—कोई सुझाव कि क्या किया जाये?

उत्तर : सब्ज़ी बनाने के तुरन्त बाद उसे किसी काँच या मिट्टी

के कटोरे में पलट लें। यह कालापन आयरन की उपस्थिति के कारण होता है। यह बुरा नहीं है परंतु किसी दूसरे बर्तन में रखने से आपकी कढ़ाई के कालपेन की समस्या दूर हो जायेगी।

प्रश्न : खट्टी चीज़ों जैसे इमली, नींबू या कोकुम का क्या किया जाये, उन्हें तो लोहे की कढ़ाई में नहीं बनाया जा सकता? मेरी दादी माँ कहती हैं उनके लिए लोहे की कढ़ाई का प्रयोग न करें।

उत्तर : वो सही कहती हैं। यदि आप कढ़ी या दाल में कुछ खट्टा डाल रहे हैं तो कलई वाले पीतल के बर्तन का प्रयोग करें या ताँबा चढ़े हुए स्टील के बर्तन का। और लोहे की करछी को इस्तेमाल में लें। यह खाने में आयरन डालने का आपकी दादी माँ का नुस्खा है, जब आप कढ़ाई का प्रयोग नहीं कर सकते हैं तब। आपको बस करछी खाना तैयार होने के बाद थोड़ी देर उसमें डालकर रखनी है फिर निकाल लेनी है।

प्रश्न : प्लास्टिक का प्रयोग नहीं करना है, पर फिर डब्बों और बोतलों या दाल और अनाज को रखने के लिए प्रयोग की जाने वाली हाई ग्रेड की प्लास्टिक का क्या किया जाए?

उत्तर : अब टिफिन के डिब्बे और पानी की बोतलें मिट्टी, कांस्य या इसी प्रकार की अन्य धातुओं की भी मिलती हैं। कुछ

रखने के लिए भी। दाल इत्यादि को रखने के लिए आप कांच के डब्बों का प्रयोग भी कर सकते हैं। इरादा प्लास्टिक का प्रयोग जितना हो सके उतना कम करने का है। फलों के मामले में भी ध्यान रखें कि जब आप उन्हें काटें तो घर में सभी के साथ मिलकर तभी खत्म करने का प्रयास करें। उन्हें प्लास्टिक में लपेटकर न रखें। कम मात्रा में फल और सब्ज़ियाँ खरीदें। यदि आप बचे हुए फल को फ्रिज में रखना चाहते हैं तो एक छोटी कटोरी में ढ़क्कन से ढककर रखें।

बारहवां सप्ताह
दिशानिर्देश

दिशानिर्देश

अपनी डाइट में इन तीन फैट्स को वापस लायें

1. कच्ची घानी तेल में तड़का

2. नारियल का गार्निशिंग, चटनी, आदि के रूप में प्रयोग

3. दिन के खाने में या रात को सोने से पहले दूध के साथ काजू

नोट्स

ऑफिशियली ये मेरी अंतिम गाइडलाइन है लेकिन प्यार अपना हमेशा के लिए रहेगा वैसे ही जैसे आपके खाने में स्वाद हमेशा के लिए रहेगा। और यह वसा ही तो है जो आपके भोजन में स्वाद, तृप्ति, संतुष्टि (सैटीएटी, सटिस्फैक्शन) के साथ सस्टेनेबिलिटी भी लाता है।

- **कच्ची घानी तेल में तड़का**—खाने में वही तेल प्रयोग करें जो आपके क्षेत्र में प्रयोग होता है। मतलब अगर आप उत्तर और उत्तर-पूर्व में रहती हैं तो सरसों तेल, मध्य और पश्चिमी भारत में तिल का तेल और केरल में रहती हैं तो नारियल तेल। हमारे देशी खान-पान पकवान, व्यंजन (रेसिपी) और हम जो भी खाते हैं, हमारे स्थानीय तेलों के फैटी एसिड और पोषक तत्वों की संरचना के हिसाब से बहुत अच्छे हैं इसलिए आप टीवी पर दिखाए जा रहे रिफाइंड आयल (सूरजमुखी, सोयाबीन, कैनोला) के हेल्दी हर्ट जैसे विज्ञापनों के झांसे में न आकर बिना किसी झिझक के स्थानीय देशी तेलों का इस्तेमाल करें। बस किसी भी कीमत पर ऑयल फ्री और फैट फ्री से बचें। यहाँ मैं उन लोगों को कच्ची घानी का मतलब बता दूँ जिन्हें इसके बारे में या तो पूरी तरह नहीं पता या फिर उन्हें कन्फ्यूजन है। इसका मतलब है कि तेल कम

तापमान पर निकाला जाता है और इसलिए फैटी एसिड, विटामिन और मौजूद अन्य पोषक तत्व बरकरार रहते हैं। मधुमेह रोगियों के लिए पारम्परिक तेल बहुत ज़रूरी है।

➢ **नारियल का गार्निशिंग, चटनी, आदि के रूप में प्रयोग**— आपकी आँतों को सपोर्ट करने से लेकर आपके नर्व्स को शांत कर पाचन क्रिया में सहायता प्रदान कर ऐसी कोई चीज नहीं है जो नारियल नहीं कर सकता। और इसका एंटीबैक्टीरियल और एंटीवायरस होना सोने पे सुहागा जैसा है। अगर आपको गर्मियों में यूटीआई (यूरिनरी ट्रैक्ट इन्फेक्शन) की समस्या होती है तो नारियल का प्रयोग न भूलें। तो देर किस बात की अपने खाने को इससे गार्निश करें, इसकी बर्फी, लड्डू, चटनी बनाएं, नारियल की मलाई यहाँ तक कि आप सूखे नारियल और गुड़ के साथ भी खा सकती हैं।

➢ **दिन के खाने में या रात को सोने से पहले दूध के साथ काजू**—अच्छे फैट के अलावा काजू में, मिनरल्स, अमीनो एसिड, और विटामिन भी बहुत अच्छी मात्रा में पाया जाता है। अमीनो एसिड अन्य चीजों के अलावा सेरोटॉनिन (नेचुरल स्लीपिंग पिल्स) के प्रोडक्शन में भी मदद करता है जो आपके दिमाग को शांत कर अच्छी नींद में सहायता प्रदान करता है। मैग्नीशियम नसों को शांत करता है और काजू में मौजूद ट्रिप्टोफान (एक प्रकार का

अमीनो एसिड) और विटामिन बी का कॉम्बिनेशन काजू को एंटीडेप्रेसेंट बनाता है। आप काजू फल (विटामिन सी से भरपूर) भी खा सकते हैं। इसकी ज़्यादा जानकारी के लिए मेरी किताब इंडियन सुपरफूड्स पढ़ें।

मैं काजू पर ज़्यादा जोर इसलिए दे रही हूँ क्योंकि इसके बारे में बहुत सारी गलत अफवाह फैला दी गयी थी जिसकी वजह से लोग खुलकर इसका प्रयोग करने से कतराते थे। यह अखरोट और बादाम जितना ही हेल्दी है बस इसे फ़ूड इंडस्ट्री का सपोर्ट नहीं मिला।

क्यों?

हमारे शरीर और दिमाग को अच्छी खासी मात्रा में फैट की ज़रूरत होती है। हमारी डाइट में पर्याप्त मात्रा में वसा न हो तो :

- ☑ हम अपने भोजन से विटामिन डी, मिनरल्स, और ज़रूरी पोषक तत्व नहीं ले पायेंगे।
- ☑ शरीर में ठीक से हॉर्मोन्स नहीं बनेंगे जिससे जोड़ों और नर्व्स में समस्या होगी। वसा का हमारे शरीर में यह रोल बच्चों के लिए बहुत मायने रखता है।
- ☑ ब्लड शुगर अनियन्त्रित रहेगा और खाने के बाद मीठा खाने की तलब होती रहेगी।
- ☑ जब शरीर में ज़रूरी पोषक तत्व भोजन से नहीं मिलेंगे तो चेहरे पर झुर्रियां आने लगेंगी और आप उम्रदराज दिखने लगेंगी।

अक्सर पूछे जाने वाले प्रश्न

प्रश्न : मधुमेह के रोगियों के लिए पारम्परिक तेल और घी में बना खाना कैसे फायदेमन्द है?

उत्तर : पारम्परिक ऑयल में खाना बनाना इस बात का संकेत है कि आप ऐसा खाना खा रही हैं जो आपकी नानी दादी या उनसे भी पहले आजमाया जा चुका है और इसके फायदे भी देखे जा चुके हैं। मधुमेह के रोगियों में सबसे बड़ी समस्या होती है अनियन्त्रित रक्त शुगर। ऐसा खाना जिसमें पर्याप्त मात्रा में घी और तेल हो, कैलोरी और फैटी एसिड की समस्या या झिझक नहीं उनका ग्लाइसेमिक इंडेक्स कम होता है जो ब्लड शुगर को नियन्त्रित करने में काफी मददगार साबित होता है। ये फैट को कम करने में भी मदद करते हैं स्किन पिगमेंटेशन को भी रोकते हैं।

प्रश्न : उत्तर भारत का हूँ लेकिन दक्षिण भारत में रहता हूँ। मेरे लिए खाने में किस तेल का प्रयोग सही होगा?

उत्तर : यह इस बात पर निर्भर करता है कि आप क्या बना रहे हैं। अगर आप कोई क्षेत्रीय खाना बना रहे हैं तो वहीं के तेल का प्रयोग कीजिये लेकिन पारम्परिक खाने में वो तेल इस्तेमाल करें जिसे आप बचपन से खाते आ रहे हैं।

प्रश्न : मैं भारत से बाहर रहता हूँ मेरे लिए क्या विकल्प है?

उत्तर : आपके हेल्थ फ़ूड स्टोर, घी और क्लेरीफायड बटर से भरे हुए हैं, और विदेशों में रहने वाले भारतीयों की पसन्द इस मामले में थोड़ी बिगड़ी हुई है।आप भारत के जिस क्षेत्र से सम्बन्ध रखते हैं उसके हिसाब से कोल्ड प्रेस्ड मूँगफली का तेल, तिल का तेल (जब सर्दी बहुत ज़्यादा पड़ रही हो), नारियल तेल, सरसों तेल का इस्तेमाल कर सकते हैं

प्रश्न : क्या काजू उच्च रक्त चाप वाले मरीजों के लिए खाना ठीक हो सकता है?

उत्तर : जी हाँ बिल्कुल, इसमें बहुत सारे मिनरल्स होते हैं जो ब्लड वेसल्स को पतला कर, ब्लड सर्कुलेशन को आसान बनाते हैं इससे ब्लड प्रेशर सामान्य रहता है, और सबसे बड़ी बात काजू में कोलेस्ट्राल का स्तर शून्य होता है।

खाद्य तेल

जितने भी पैक और प्रोसेस्ड खाद्य पदार्थ हैं उन सबमें इडिबल ऑयल (खाद्य तेल) मिला होता है, और हमेशा से इसका स्रोत पाम ऑयल (ताड़ का तेल) रहा है। शायद आपको पता हो कि इस पाम ऑयल उद्योग ने बॉयोडायवर्स जंगलों की बड़ी मात्रा में अंधाधुंध कटाई की है, लेकिन इस तेल की कम कीमत और विविधता के कारण इसका चलन जारी है। आप इसे कमोबेश हर चीज में पायेंगे—जैसे पिज़्ज़ा, लिपस्टिक, चॉकलेट, शैम्पू आदि। इसका इस कदर धड़ल्ले से प्रयोग हो रहा है कि इसने लुप्तप्राय प्रजातियों (इनडैंजर्ड स्पीशीज) जैसे ओरंगुटान और सुमात्राण राइनो को और खतरे में डाल दिया है। हाल ही में आइसलैंड ने एक जागरूकता अभियान 'मेरे शयनकक्ष में एक ओरंगुटान है और मुझे नहीं पता कि क्या करना है' को बैन कर दिया था। इसका मकसद इस बारे में जागरूकता फैलाना था कि कैसे पाम ऑयल के उत्पादन ने पहले से ही खतरे में पड़े जीवों के कम होते आवास के लिए और खतरा पैदा कर दिया है। बात का सार इतना ही है कि जितना अधिक हम अपने मूल उत्पाद से सस्ते या हेल्दी विकल्प की ओर भागते हैं उतना ही अधिक हम वो खाने लगते हैं जो हमारा है ही नहीं। मतलब वो हमारी आने वाली पीढ़ियों का है। और अन्त में हमें पता चलता है कि हमारा हेल्थ गैंडे, हाथियों,

मधुमक्खियों, सांपों आदि से जुड़ गया है। अपने हेल्थ के बारे में हम जो कदम उठाते हैं वो सस्टेनेबल होना चाहिए, सिर्फ अपने लिए या अपने स्वार्थ के लिए नहीं बल्कि इस धरती पर रहने वाले सभी जीवों के लिए। संक्षेप में फ़ूड इंडस्ट्री के कार्बोहाइड्रेट, प्रोटीन, फैट खाने के चक्कर में न पड़कर वो खाना खायें जिससे आपके पर्यावरण का नुकसान न हो।

बस इतना ही दोस्तों बारह हफ़्ते
समाप्त, बारह दिशानिर्देश सम्पन्न

अध्याय चार

हमेशा के लिए कैसे प्राप्त करें : बारह कदम

एक बात याद रखें कि डाइट के प्रति आज का उत्साह कल के लिए बेकार साबित होने वाला है, डायट पर रहने का सबसे अच्छा तरीका है कि कभी भी किसी एक डाइट को फॉलो न करें या उससे बंधे न रहें। यह वैसा ही है जैसा वो कहते हैं ना कि अगर आप हमेशा प्यार में बने रहना चाहते हैं तो कभी शादी न करें। या कम से कम खुद को पति या पत्नी की भूमिका में न डालें। क्योंकि भूमिकाएं हमेशा आपको बाँध देती हैं, न केवल आपको बल्कि आपके साथी को भी, जो आप नहीं हैं यह आपको उसमें बदल देती है, आपको एक स्पेशल टास्क सौंप देती हैं और फिर ऐसी कंडीशन में पहुँचा देती हैं जिससे हम सभी परिचित हैं, खुद की तलाश। मुझे अपने लिए कुछ करने की ज़रूरत है, मतलब अधेड़ उम्र का संकट।

खाने को भगवान के आशीर्वाद रूप में देखा जाना चाहिए और आशीर्वाद को पूरे सम्मान, उत्साह के साथ लेना चाहिए न कि कार्बोहाइड्रेट, प्रोटीन और वसा के भागों में। आपका गलत तरीका एक बहुत बड़े वरदान को अभिशाप (कर्स) में बदल सकता है। भोजन या अन्न आपको अपने खुद की खोज की राह पर ले जाता है, और जीवन के रहस्यों को आपके सामने लाते हुए आपको सभी प्रकार के मोह और भय से निकालता है। एक ऐसी स्थिति जब आप वास्तव में यह समझना शुरू कर देते हैं कि अपने कर्म को बड़ा करना महत्वपूर्ण है न कि शरीर के आकार को छोटा करने की दिशा में हमेशा लगे रहना। जब आपको यह समझ हो जाती है कि भोजन अपने पुरे आनंद के साथ क्या है, तो आप इस शरीर के आकार प्रकार को छोड़कर चिंता मुक्त जीवन जीना शुरू कर देते हैं।

परंतु ज्ञान बांटने से अलग यदि मुझे फिटनेस प्रोजेक्ट की बारह मुख्य बातें जो आपके जीवन में वर्तमान से लेकर हमेशा तक रहने वाला है तो वे इस प्रकार होंगे—

- पोषक भोजन, आपकी सुरक्षा और आपके आगे बढ़ने का अवसर है।
- स्थानीय अनाज उगाऐं और उसे बचाएं।
- स्थानीय भोजन जलवायु के हिसाब से ठीक होता है।

- शरीर में लचीलापन लाना वज़न कम करने से ज़्यादा ज़रूरी है।

- पतला दुबला या छरहरी काया पाने के लिए आपको बड़ी कीमत चुकानी पड़ती है।

- दुबलापन कामयाबी हासिल करने का पक्का रास्ता नहीं है।

- कामयाबी हर व्यक्ति को मिलती है जो उसे हासिल करने के लिए मेहनत करता है, इसका मोटापे या दुबलेपन से कोई सम्बन्ध नहीं है।

- शरीर का आकार उन लोगों के लिए कोई मायने नहीं रखता जो बहुत मायने रखते हैं।

- अधिकांश लोग जीवन भर उन चीजों का पीछा करते हैं जो वे कभी चाहते भी नहीं थे।

- अपने वर्कआउट रुटीन में स्ट्रेंथ, स्टेमिना, स्ट्रेचिंग और स्टेबिलिटी पर ध्यान दें न कि कैलोरी पर।

- मशहूर पत्रिका 'द इकोनॉमिस्ट' ने घोषणा की है कि कैलोरीज समाप्त हो गयी है, ख़त्म हो चुकी है।

- अर्थशास्त्रियों, पारिस्थितिकीविदों (इकोलॉजिस्ट) कृषि विशेषज्ञों (और हाँ किसानों, कबायलियों, दादियों और नानियों) को भोजन और हेल्थ के बारे में डायटीशियनों, डॉक्टरों और ट्रेनरों से अधिक जानकारी है।

और अन्त में अन्तिम लाइन के तौर पर एक मुहावरा/लोकोक्ति

जो यहाँ रिलेवेंट है—हज़ार मील का सफर पहले कदम से शुरु होता है। तो यदि कुछ सप्ताह भी इन बातों का ध्यान नहीं रख पाए हैं तो पहले कदम से आरम्भ कीजिए, जितनी बार भी आपको करना पड़े, और जितना भी कर पाएँ। आगे की यात्रा की चिंता न करें, बस सर झुका कर चलते जायें। वही अच्छा होगा। ख़ुशी, फिटनेस और हेल्थ के रास्ते पर चलते जायें। एक बार में एक कदम।

परिशिष्ट एक

बारह हफ़्तों के दिशानिर्देश के लिए कुछ सन्दर्भ

अरेडोंडो, एय अजर, एय और रेकामेन, ए एल, डायबिटीज, ए ग्लोबल पब्लिक हेल्थ चैलेंज विथ ए हाई एपिडमायलॉजिकल एंड इकोनॉमिक बर्डन ऑन हेल्थ सिस्टम्स इन लैटिन अमेरिका। ग्लोबल हेल्थ 2018, 13:780-87

बुसिंग, ए., एट अल, 'इफेक्ट्स ऑफ़ योग ऑन मेन्टल एंड फिजिकल हेल्थ : ए शार्ट समरी ऑफ़ रिव्युज'। एविडेंस बेस्ड कॉम्प्लिमेंटरी एंड अल्टरनेटिव मेडिसिन 2012 : 2012 :165410

फ़ूड प्लेनेट हेल्थ, हेल्दी डाइट्स फ्रॉम सस्टेनेबल फूड सिस्टम्स। अवेलेबल एट https://eatforum.org/content/uploads/2019/01/EAT-Lancet_Commission_Summary_Report.pdf

जंग, एस.आई., एट अल., 'द इफ़ेक्ट ऑफ़ स्मार्टफोन यूसेज टाइम ऑन पोस्चर एंड रेस्पिरेटरी फंक्शन' जर्नल ऑफ़ फिजिकल थेरेपी साइंस 2016, 28:186-189

ली, एच.वाई., एट अल., मेटाबॉलिक हेल्थ इस मोर क्लोजली एसोसिएटेड विथ डिक्रीज इन लंग फंक्शन देन ऑबेसिटी, पलोस वन 2019, 14: e0209575

निकलास, टी.ए., ओ'नील, सी.इ., एंड फाल्गुनी, वी.एल. 'स्नैगिंग पैटर्न हैटन, 'राइस कंसम्पशन इज एसोसिएटेड विथ बेटर न्यूट्रिएंट इन्टेक एंड डाइट क्वालिटी इन एडल्ट्स : नेशनल हेल्थ एंड न्यूट्रिशन एग्जामिनेशन सर्वे (एनएचएएनइएस) 2005-2010' फूड एंड न्यूट्रिशन साइंस 2014, 5:525-32

निकलास, टी.ए., ओ'नील, सी.इ., एंड फाल्गुनी, वी.एल. 'स्नैगिंग पैटर्न हैटन, डाइट क्वालिटी, एंड कार्डिओवस्कुलर रिस्क फैक्टर्स इन एडल्ट्स', बीएसी पब्लिक हेल्थ 2014, 14:388

ज़ायके, वी.वाई., एट अल. स्नैक फूड सैटीएटी एंड वेट, एडवांस इन नुट्रिशन 2016, 7: 866-78.

पार्क, जे., एट अल., वेस्ट सरकमस्टान्सेस एज ए मार्कर ऑफ़ ऑबेसिटी इस मोर प्रिडिक्टिव ऑफ़ कोरोनरी आर्टरी कैल्सिफिकेशन देन बॉडी मास इंडेक्स इन अपरेंटली हेल्दी कोरियन एडल्ट्स : द कांगबक सैमसंग हेल्थ स्टडी, इंडोक्राईनोलॉजी एंड मेटाबोलिज्म 2016, 31: 559-66.

पेम, डी.; एंड जीवोन आर., फ्रूट एंड वेजिटेबल इन्टेक, बेनिफिट्स एंड प्रोग्रेस ऑफ़ नुट्रिशन एजुकेशन इंटरवेंशंस : नैरेटिव रिव्यु आर्टिकल, ईरानियन जर्नल ऑफ़ पब्लिक हेल्थ 2015, 44: 1309-21.

शर्मा एच, झांग एक्स एंड द्विवेदी, सी द इफ़ेक्ट ऑफ़ घी (क्लैरिफ़िएड बटर) ऑन सीरम लिपिड लेवल्स एंड माइक्रोसोमल लिपिड परॉक्सीडेशन आयु 2010, 31: 134-40.

स्टेफन, एन., एट अल. 'आइडेंटिफिकेशन एंड कैरेक्टराइजेशन ऑफ मेटाबॉलिकली बेनिग्न ऑबेसिटी इन ह्यूमैन्स' आर्काइव्ज ऑफ इंटरनल मेडिसिन 2008, 168:1609-16

स्टेफन, एन., एट अल., 'मेटाबॉलिकली हेल्दी ऑबेसिटी: एपिडेमोलॉजी, मैकेनिज्मस्स, एंड क्लिनिकल इम्प्लिकेशन्स', लांसेट डायबिटीज एंडोक्राइनोलॉजी 2013, 1:152.62.

थॉम्पसन, आर. सी., एट अल. प्लास्टिक्स द एनवायरनमेंट एंड ह्यूमन हेल्थ: करंट कंसेंसस एंड फ्यूचर ट्रेंड्स, फलोसॉफिकल ट्रांजेक्शन्स ऑफ द रॉयल सोसाइटी बी:बायोलॉजिकल साइंसेज 2009, 364:2153.66

वेस्टकॉट, डब्लू एल. 'रेजिस्टेंस ट्रेनिंग इस मेडिसिन: इफेक्ट्स ऑफ़ स्ट्रेंथ ट्रेनिंग ऑन हेल्थ', करंट स्पोर्ट्स मेडिसिन रिपोर्ट्स 2012, 11:209-16

परिशिष्ट दो

सहभागियों का फीडबैक

रेखा बी एस—पहले हफ़्ते के आखिर में मुझे अपना एनर्जी लेवल बढ़ा हुआ लगा और पीएमएस (प्रीमेन्सट्रुअल सिंड्रोम) से चिड़चिड़ेपन में भी कमी आयी।

अपर्णा बी अस्थाना—हाय, आपने इसमें जिस स्वीट कार्विंग्स (खाने के बाद मीठा खाने की (तलब) की चर्चा की है मैं उससे बुरी तरह पीड़ित हूँ, हर लंच के बाद मुझे मीठे की तलब होती थी और खाने के बाद या शाम को मुझे अपना एनर्जी लेवल डाउन लगता था। यहाँ तक कि मैंने हाल ही में अपना मेडिकल चेक-अप भी करवाने के बारे में सोचा था। फिर मैंने आपकी गाइडलाइन्स के अनुसार रोज सुबह केला खाना शुरू किया जिससे मुझे बहुत जबरदस्त फायदा हुआ। अब न तो मीठे की तलब होती है और न ही एनर्जी लेवल में कमी।

मुबीन अमीना आज़म—घर में मिठाई रखी रहने के बावजूद अब मुझे लंच के बाद मीठा खाने की बिल्कुल इच्छा नहीं होती। यह मेरे लिए बहुत बड़ी बात है, मुझे नहीं पता था कि एक साधारण केला मेरी बीमारी जैसी आदत के लिए इतना फायदेमन्द हो सकता है।

तनिषा तनीषा—एक समय था जब मैं शक्कर वाली चाय के बिना नहीं रह पाती थी अब मुझे बिल्कुल इच्छा नहीं होती।

लोवीना बजाज साल्वे—आपकी दूसरे हफ़्ते की गाइडलाइन फॉलो कर रही हूँ और मुझे बहुत अच्छा लग रहा है। दो मील्स के बीच न तो मुझे अब खाने की इच्छा होती है और न ही खाने के बाद मीठा खाने की तलब।

ज्योति भाटे छाबरा—मुझे आपकी घी वाली गाइडलाइन्स बहुत पसन्द आयी। अब मैं दिन भर बहुत एनर्जेटिक महसूस करती हूँ, कभी थकान महसूस नहीं करती।

डॉ. फरहीन खान—मैं खुद एक डॉक्टर हूँ, मैंने घी के बारे में बहुत सी डरावनी बातें सुनी थी, लेकिन आपके बताए अनुसार मैंने इसका सेवन करना शुरू किया और अब बहुत अच्छा महसूस कर रही हूँ।

भावना अरोड़ा—मेरे शरीर का हर एक अंग आपको घी की फिर से याद दिलाने के लिए धन्यवाद दे रहे हैं। आपके बताए नुस्खे का पालन करते हुए अभी सिर्फ दो दिन हुए हैं और मेरे पेट को इससे बहुत आराम मिला है। अब सुबह वाशरूम में कम समय लगता है, अच्छे से फ्रेश होती हूँ। ये सच में बहुत सुकून देने वाला अनुभव है।

वी स्नेहा—मैंने दूसरे हफ़्ते से अमल करना शुरू किया अब मुझे खाने के बाद मीठे की तलब नहीं होती है। शरीर की ज़रूरत और उसपर ध्यान देने तथा छोटे छोटे सकारात्मक बदलाव से रोजाना के जीवन में कितने फायदे हो सकते हैं यह बताने के लिए आपका बहुत बहुत शुक्रिया।

प्रीथी स्वामी—जीवन में पहली बार मैंने बिना किसी गैजेट्स के भोजन किया। मुझे लोगों द्वारा कही गयी बातों कि खाना सुकून और आनंद से होना चाहिए का अनुभव पहली बार हुआ। बिना किसी भटकाव के पूरे ध्यान से स्वाद और सुगंध के साथ।

स्मिता ओबेरॉय—फ़ोन या गैजेट्स प्रयोग करते समय पोस्चर को सही रखना बहुत मुश्किल काम है लेकिन यह बहुत फायदेमन्द है। आपकी सलाह को बहुत ईमानदारी से फॉलो करने की कोशिश कर रही हूँ। गैजेट्स के बिना खाना सच में

बहुत सुकून देने वाला है।

रिचा रंजन—इसे मैं अपने पर्सनल कंप्यूटर पर पढ़ रही हूँ। तीसरे हफ़्ते की गाइडलाइन के बाद मेरा फ़ोन का इस्तेमाल 50 प्रतिशत तक कम हो गया है। रात 8 बजे के बाद मैं बहुत ज़रूरी कॉल ही उठाती हूँ।

नीता कनानी—मैं सारे गाइडलाइन्स का पालन कर रही हूँ और यह सचमुच बहुत बढ़िया है। मुझे पता ही नहीं चला कि आपकी गाइडलाइन्स कब मेरी आदत बन गयी। सोने से पहले किसी गैजेट्स का इस्तेमाल नहीं करने वाली सलाह बेजोड़ है, अब मैं खुद को समय दे पा रही हूँ। इसके परिणाम बहुत सकारात्मक हैं, तनाव मुक्त अच्छी नींद और सकारात्मकता।

चित्रा चन्द्रसेकरन—डिनर के पहले तीसरी गाइडलाइन्स वाली सलाह बहुत अच्छी है।

प्रगति पांडे—इस साल की शुरुआत में मैंने आपकी बारह हफ़्तों की गाइडलाइन्स का पालन शुरू किया। साल की शुरुआत में मेरी पीरियड्स और पीएमएस की समस्या बहुत भयानक थी अब साल के अन्त तक मेरी ज़िन्दगी एकदम बदल सी गयी है। अब मुझे पीएमएस की समस्या नहीं है और इस साल मुझे ग्यारह पीरियड्स हुए जो मेरे लिए हेल्थ के

मामले में बहुत बड़ी उपलब्धि के समान है। मैंने इससे पहले इतना अच्छा कभी महसूस नहीं किया था।

डॉ. वैशाली चिखालीकर—जबसे मैंने इस फिटनेस प्रोजेक्ट को फॉलो करना शुरू किया है, मैं अपने अन्दर बहुत बदलाव महसूस कर रही हूँ। दिसंबर में मेरा टीएसएच (थायरॉयड सिम्युलेटिंग हॉर्मोन) 9.14 था। 12 हफ़्ते की गाइडलाइन्स को पुरा करने के बाद जब मैंने फिर से चेक किया तो यह 7.97 पर आ गया है।

सुभाश्री श्रीनिवासन—मैंने आपकी सारी गाइडलाइन्स फॉलो करने की कोशिश की और अभी भी जितना सम्भव हो सकता है कर रही हूँ। मैंने पहले हफ़्ते से ही पेट में सूजन और फूलने की समस्या कम होते हुए महसूस की। अक्टूबर 2017 में डॉक्टर ने बताया कि मुझे एडिनोमायोसिस है। पीरियड्स के दौरान मुझे बहुत दर्द होता था, इतना दर्द कि मुझे छुट्टी लेकर पीरियड के एक दो दिनों तक बेड रेस्ट करना पड़ता था। मुझे अपच और कब्ज की समस्या भी हो गयी थी। केसर के साथ बादाम/किशमिश का रोजाना सेवन करने के बाद अपच और सूजन आदि की समस्या से बहुत हद तक आराम मिला।

अभी आखिरी पीरियड में दर्द भी बहुत कम हुआ! मुझे लगा था कि मैं जीवन भर ये दर्द झेलूंगी लेकिन आखिरी पीरियड

के बाद मुझे लगा कि यदि मैं आपकी गाइडलाइन्स फॉलो करूँगी और अपने खान-पान दिनचर्या को ठीक कर लूँगी तो इन समस्याओं से मुक्ति मिल जायेगी।

संथाला नागेश—पिछले आठ सालों से मुझे पीरियड्स के दौरान बहुत दर्द होता था, लेकिन पिछले दो महीने से यह बहुत सामान्य है, धन्यवाद।

वर्षा गुगाले—मैं सारी गाइडलाइन्स फॉलो कर रही हूँ। मैं अब दिल खोल के चावल खाती हूँ। आप विश्वास नहीं करेंगी लेकिन पिछले दो तीन महीनों में मैंने अपना वजन पाँच किलो कम किया है। अब मैं दिन भर एनर्जेटिक महसूस करती हूँ। पीरियड्स में दर्द भी नहीं होता। पहले मुझे सूर्यास्त के बाद पैरों में दर्द होता था अब नो पेन ऑनली हेल्थ गेन।

प्रिया—मैं आपको बताना चाहती हूँ कि जबसे मैंने लंच और डिनर के बाद घी और गुड़ खाना शुरू किया है मुझे अब खाने के बाद स्वीट कार्विंग्स (खाने के बाद मीठा खाने की तलब) नहीं होती।

सुनीता ज़ेंडे—फिटनेस प्रोजेक्ट 2018 के लिए आपका शुक्रिया। अब मैं बिल्कुल बच्चों की तरह चैन, सुकून की नींद सोती हूँ, बहुत धन्यवाद आपका।

दिन्नाह मोरएस—मुझे पढ़ना पसन्द है, यहाँ तक कि खाते समय भी कुछ न कुछ पढ़ती हूँ। तो मैंने खाते समय आपकी गैजेट्स फ्री गाइडलाइन्स को फॉलो किया, जो सचमुच बहुत कारगर सिद्ध हुआ। मैं अब बहुत आराम से खाती हूँ और आपके नुस्खे ने क्या कमाल किया है! पहले मुझे पता ही नहीं चलता था कि मैं कितना खा रही हूँ। अब खाने पर फोकस करती हूँ, कम खाती हूँ और स्वाद, मजे लेकर खाती हूँ। खाते समय परिवार के साथ बातचीत करती हूँ न कि गर्दन नीची करके गलत पोस्चर में फ़ोन देखते हुए खाना गटकती हूँ। और हाँ सोने से पहले किसी भी गैजेट्स का उपयोग नहीं करती, अच्छी नींद आती है सुबह बिना किसी अलार्म के उठती हूँ।

इज़्ज़ा गुल—गैजेट्स पर अपना समय कम करना और सोने से आधे घंटे पहले कोई गैजेट्स न देखना इन दो आदतों से मुझे बहुत फर्क पड़ा है। मैं सुबह हमेशा आधी अधूरी नींद से उठती थी लेकिन जैसे ही मैंने सोने से पहले गैजेट्स का इस्तेमाल करना बन्द किया मेरी अधूरी नींद अब पूरी होने लगी। मुझे ये जानकार आश्चर्य हुआ कि कुछ छोटी छोटी बातें रोजाना की ज़िन्दगी में कितना प्रभाव डालती हैं।

देवलीना दास—हम दोनों पति पत्नी आपकी फिटनेस प्रोजेक्ट 2018 को फॉलो कर रहे हैं। मुझे गैस की समस्या थी जिससे

सीने में जलन भी होती थी लेकिन केले और शाम चार से छह के बीच आपकी पौष्टिक आहार की सलाह से अब यह ठीक है।

सुचित्रा गोखले जवलगेकर—केला, सुबह किशमिश, शाम चार से छह के बीच स्नैक्स और दिन में तीन बार घी के सेवन से अब मुझे खाने के बाद मीठा खाने की तलब नहीं होती, नींद की समस्या भी खत्म हो गयी और दिन भर एनर्जेटिक रहती हूँ।

अनोमिता भौमिक—मुझे आपकी गाइडलाइन्स से बहुत फायदा हुआ है। टहलना मुझे बहुत पसन्द है लेकिन सीढियाँ चढ़ने से मैं हमेशा परहेज करती थी क्योंकि कुछ स्टेप्स चढ़ने में ही मेरी साँसें फूलने लगती थी। हेल्थ के अलावा कुछ बातों में मैं पहले मानसिक तौर पर भी बहुत कंफ्यूज या यूँ कहें कि आलसी थी, कहीं जाने के लिए पब्लिक ट्रांसपोर्ट की बजाय टैक्सी लेती थी ये सोचकर कि कहीं देर न हो जाये। लेकिन आपकी गाइडलाइन्स पढ़ने के बाद मैंने अपने आपको पूरी तरह बदल दिया है। अब मैं घर से थोड़ा पहले निकलकर टैक्सी की बजाय जहाँ तक सम्भव हो पब्लिक ट्रांसपोर्ट से सफर करती हूँ। इस दौरान रास्ते में जहाँ कहीं भी सीढ़ियां दिखती हैं मैं एस्केलेटर की बजाय सीढ़ियों का ही इस्तेमाल करती हूँ। अब बीस पच्चीस, या कभी-कभी पैंतीस चालीस से

भी ज़्यादा सीढ़ियां बिना किसी परेशानी के प्रयोग करती हूँ।

निशा एम—करीब चार महीने से आपकी गाइडलाइन्स का पालन कर रही हूँ। मैं जो गलतियाँ कर रही थी उसे इस गाइडलाइन्स के जरिये बताने, समझाने के लिए आपका शुक्रिया। अब मैं वो करती हूँ जो मेरे शरीर की ज़रूरत है (नियमित रूप से ताजा, लोकल खाना, रोज करीब तीस मिनट व्यायाम, अच्छी नींद) आज मुझे कोल्ड या गले में इन्फेक्शन की कोई समस्या नहीं है।

मेघना रायकर—स्ट्रेंथ ट्रेनिंग यह सच में बहुत शानदार है। जितना ज़्यादा मैं वजन उठाती हूँ मेरा विश्वास उतना ही ज़्यादा बढ़ता जा रहा है और हर दिन मैं इसे बढ़ाने की कोशिश कर रही हूँ।

श्रेयसी शर्मा—इस गाइडलाइन्स के जरिये आपने सबके लिए स्वस्थ और खुश रहने का जो नुस्खा दिया है उसके लिए मैं आपका जितना भी शुक्रिया अदा करूँ वो कम है। पीसीओडी की मरीज होने के नाते अब मुझे स्ट्रेंथ ट्रेनिंग का महत्व समझ आ रहा है।

ज्योति लूथरा—मैं वेट ट्रेनिंग नहीं करती थी लेकिन आपकी गाइडलाइन के बाद मैंने इसे शुरू किया। इस वेट ट्रेनिंग के बाद

मेरा वजन दो किलो बढ़ा लेकिन :

1. मैं बहुत एनर्जेटिक महसूस करती हूँ।
2. वर्कआउट के दौरान मुझे कोई परेशानी महसूस नहीं होती।
3. पेट से मेरी चर्बी कम हुई है, अब यह उभरी हुई नहीं दिखती है।
4. जब मैं खड़ी होती हूँ तो मेरा पेट एकदम सपाट दिखता है।
5. पहले मैं पैर पर पैर चढ़ाकर नहीं बैठ पाती थी लेकिन अब मुझे कोई समस्या नहीं होती।

अंजलि नायर—जब मैंने शुरुआत की थी तब मेरा वजन 78 किलो और कमर चालीस इंच थी। लेकिन दो महीने में ही मैंने अपने अन्दर बड़ा बदलाव महसूस किया। फिर् मैं अपने पति के साथ चली गयी और फिट होने के मेरे सारे सपने टॉस के लिए चले गये, बिना किसी मदद के बच्चा संभालना एक बड़ा काम है और इसके बाद किसी और चीज के लिए समय नहीं बचता है। फिर भी अभी तक मैं अपने सपने को आपकी गाइडलाइन्स के हिसाब से जहाँ तक सम्भव हो पूरा करने की कोशिश करती हूँ। अगर मैं पूरे साल का हिसाब लगाऊँ तो मैंने सिर्फ चालीस प्रतिशत गाइडलाइन्स का ही पालन किया फिर

भी परिणाम बहुत शानदार है।

निखिला लंका—मैं कैलिफ़ोर्निया में रहती हूँ। हाल ही में छुट्टियों में भारत आयी और आपकी बारह हफ़्तों की गाइडलाइन्स का पालन किया। अब मैं पतली हो गयी हूँ और मुझे यह बताते हुए अच्छा लग रहा है कि मैं दो साल पहले वाली ड्रेस जो मुझे नहीं आती थी अब बिल्कुल फिट होती है। मैं अब अपने कमर को नहीं नापती न ही वजन नापने वाली मशीन का प्रयोग करती हूँ। बस आँख मूंदकर गाइडलाइन्स का पालन करती हूँ। मुझे नहीं पता था कि मोटापा कम करना इतना आसान है।

नेहा भाटिया—ईमानदारी से कहूं तो मैंने फिटनेस प्रोजेक्ट 2018 की गाइडलाइन्स का पालन बिल्कुल खुले दिमाग से करना शुरू किया, लेकिन पिछले कई नाकाम प्रयासों को याद कर मेरे मन में इसे लेकर कुछ संदेह था। तो भी मैंने आपके द्वारा कही गयी एक एक बात और शब्दों को बहुत गंभीरता से आत्मसात किया। इसका परिणाम ये हुआ कि अब मैं एल साइज की बजाय एम साइज के कपड़े पहनने लगी हूँ। और सबसे अच्छी बात यह है कि सब कुछ बिल्कुल एक जैसा रहा है। अब मैं इस बात के लिए निश्चिन्त हूँ कि मेरी पुरानी काया वापस नहीं आयेगी। मैं अब बहुत आत्मविश्वास के साथ टेलर

के पास जाकर अपने कपड़ों की साइज छोटी करवा रही हूँ। इसका एक अतिरिक्त फायदा यह हुआ कि बिना एक पैसा खर्च किये मेरा एक नया वार्डरोब तैयार हो गया है।

रश्मि महाजन—मैं लंच और डिनर में सफ़ेद चावल खाती हूँ, जिसमें घी हमेशा मौजूद रहता है। इससे मुझे बहुत फायदा हुआ है, अब न तो खाना पचने में कोई समस्या होती है न ही गैस।

पूर्णिमा मंडल शाही—मैं पिछले कुछ महीनों से दाल, चावल, घी खा रही हूँ, अब मुझे पाचन की कोई समस्या नहीं है और गैस की वजह से पेट भी नहीं फूलता। इसके लिए आपका धन्यवाद।

पारुल लखानी—मुझे आपको यह बताते हुए बहुत ख़ुशी हो रही है कि ग्यारह हफ़्तों के अन्दर ही मेरा ब्लड प्रेशर जो पिछले दो तीन सालों से लगातार दवाई खाने के बावजूद अनियन्त्रित था अब बिल्कुल सामान्य हो गया है और अब मैंने दवाइयाँ एकदम बन्द कर दी है। आपकी बहुत सामान्य लेकिन शानदार सलाह और दिशानिर्देशों ने मेरी सोच में बहुत बदलाव लाया है और मेरी एनर्जी लेवल को बहुत बढ़ा दिया है। अब मैं पहले से ज़्यादा युवा दिखती और सोचती हूँ।

शिवि गोयल—आपके प्रोजेक्ट की टिप्स को फॉलो करने के

चार महीने के अन्दर ही मैंने अपना वजन दस किलो कम कर लिया, इससे पहले करीब आठ महीने तक मेरा वजन बिल्कुल स्थिर था।

करुणा सहाय—मैंने आपकी 2018 गाइडलाइन्स का पालन किया और अब मैं गर्भवती हूँ। मैंने बिल्कुल सामान्य तरीके से गर्भ धारण किया। ऋजुता मैं आपको बता नहीं सकती मेरे जीवन में यह क्षण कितना आनंददायक और महत्वपूर्ण है। मैं आपको अपनी खुशी भी नहीं दिखा सकती।

प्रिया बालिजेपल्ली—अभी तक मेरा वजन उतना कम नहीं हुआ है लेकिन मेरे साथ कुछ अच्छी बातें हो रही हैं :

1. मेरा एनर्जी लेवल एकदम से आसमान छू रहा है।
2. मैं बिना थके सूर्यनमस्कार के बारह राउंड कर सकती हूँ। पहले केवल तीन राउंड में ही थक जाती थी। मेरे लिए इससे ज़्यादा ख़ुशी की बात और कुछ नहीं हो सकती।
3. मैं अपने बच्चों के साथ बिना थकान महसूस किये खेल सकती हूँ।

विभा तलाटी—इस गाइडलाइन के पहली बार सामने आने के बाद से सूर्यनमस्कार कर रही हूँ। चार से शुरू किया था अब

पाँच राउंड कर लेती हूँ। अपनी प्रगति से बहुत खुश हूँ और अच्छा महसूस कर रही हूँ। और सबसे अच्छी बात यह है कि अब यह मेरी रोजाना की ज़िन्दगी का हिस्सा हो गया है।

शीतल भांबवानी—बारह हफ़्ते की फिटनेस परियोजना किसी भी फिटनेस कार्यक्रम के प्रति मेरी पहली प्रतिबद्धता (कमिटमेंट) थी। इन बारह हफ़्तों में मुझे अपने खाने, हेल्थ और फिटनेस के बारे में पता चला, एक समझदारी विकसित हुई। इन दिशानिर्देशों की सबसे अच्छी बात यह है कि बिना किसी परेशानी, ज़्यादा मेहनत के ये सहजता के साथ हमारे जीवन में शामिल हो सकती हैं जहाँ असली विजेता मन मस्तिष्क पर आपका नियंत्रण है। मेरे लिए हैरानी की बात यह थी कि इसके परिणाम बहुत जल्दी दिखने लगे। पिछले कई वर्षों में हमने जो अपने शरीर के साथ बहुत सारी गलत चीजें की हैं शायद उसी वजह से मैं आपकी गाइडलाइन्स को फॉलो करने को प्रेरित हुई।

नेहा जैन—मैं दिन की शुरुआत भीगे छीले हुए बादाम और किशमिश से करती हूँ। मैंने एल्युमिनियम और नॉन स्टिक बर्तनों का प्रयोग बन्द कर अधिकांशत: स्टील और लोहे के बर्तनों का प्रयोग शुरू कर दिया है। अब मैं खाने पीने की किसी भी चीज को प्लास्टिक के डब्बों में जमा नहीं करती। बिना

किसी संकोच, अपराध बोध के जमकर घी खाती हूँ, मैंने खाने में दाल की मात्रा बढ़ा दी है और कोशिश करती हूँ कि चौबीस घंटे में कम से कम एक बार दाल ज़रूर खाऊँ। मुझे नहीं लगता कि मैंने आपकी गाइडलाइन्स को फॉलो करने के लिए कोई अतिरिक्त प्रयास किया है, लेकिन इसके जो सकारात्मक परिणाम दिखे हैं वो मेरी उम्मीदों से बहुत बहुत ज़्यादा है।

जान्हवी दत्तावाडकर देशपांडे—मैंने खाना बनाने के लिए लोहे की कढ़ाई का प्रयोग करना शुरू किया है, और खाने का स्वाद लाजवाब है।

अक्षता राव—आपकी सभी सलाह का पालन कर रही हूँ, मेरी कमर दो इंच और वजन आठ किलो कम हुआ है। यह सचमुच कमाल का अनुभव है।

ऐश्वर्या मराठे—जबसे आपने फिटनेस कार्यक्रम 2018 की शुरुआत की है, तबसे मैं खुद को सबसे खुश इंसान समझ रही हूँ। पहले मुझे गैस, पेट फूलने, सूजन आदि से परेशानी होती थी लेकिन अब वो गुजरे ज़माने की बात लगती है।

निबेदिता चटर्जी—मुझे खाना बनाना बहुत पसन्द है और मैं अपनी रोजाना की ज़िन्दगी में इस बारह हफ़्तों के फिटनेस कार्यक्रम को शामिल करने की कोशिश कर रही हूँ।

वैशाली चैहान—मैंने आपकी सारी सलाह का पालन किया और मैं अपने अन्दर अच्छा बदलाव महसूस कर रही हूँ एक साल में मेरा वजन चालीस किलो कम हुआ, कभी 98 किलो की भारी भरकम वैशाली अब 58 किलो की छरहरी काया वाली वैशाली है।

परिशिष्ट तीन

परिवारों और बच्चों के लिए बारह हफ़्तों का दिशानिर्देश

बच्चों और परिवारों के लिए बारह हफ़्तों का फिटनेस कार्यक्रम जनवरी से मार्च 2019 के बीच आयोजित किया गया था। दुनियाभर के बीस हजार से ज़्यादा परिवारों ने इसमें भाग लिया और स्वास्थ्य में सुधार, खाने को लेकर अपने नजरिये में बदलाव महसूस किया खासकर बच्चों में। इस प्रोजेक्ट की संरचना बिल्कुल वही रही — हर हफ़्ते एक दिशा निर्देश का पालन।

पहले हफ़्ते का दिशानिर्देश : बच्चों के दिन की शुरुआत के लिए स्वस्थ विकल्प

जब हमारे बच्चे सुबह खाली पेट जागते हैं तो हम उन्हें जो खिलाते हैं, वह न केवल यह तय करेगा कि उनका पूरा दिन

कितना अच्छा होगा, बल्कि यह भी कि उनका विकास कैसे होगा। यह भोजन जवानी की दहलीज पर खड़े बच्चों के लिए विशेष रूप से महत्वपूर्ण है क्योंकि यही खाना भविष्य में हार्मोनल हार्मोनी (सद्भाव) की नींव रखता है।

दरअसल वो रात को कितनी जल्दी और कितने सुकून से सोते हैं वो इस बात पर निर्भर करता है कि दिन की शुरुआत किस तरह से करते हैं। पौष्टिक तत्वों से भरपूर बिना किसी झंझट का खाना इनके लिए बहुत महत्वपूर्ण है।

यहाँ कुछ विकल्प हैं :

अ. यदि समय कम है और स्कूल जाने से पहले केवल एक मील तैयार हो सकता है :

1. दूध—अगर बच्चे को दूध का स्वाद पसन्द है तो कोशिश कीजिये कि इसमें :
    - भरपूर वसा हो
    - पैकेट वाला न हो
    - चॉकलेट पाउडर आदि न मिला हो
    - इसमें गुड़/च्यवनप्राश (सर्दियों में) या चीनी/गुलकंद (गर्मियों में) या घर में बना लड्डू मिला हो
    - सिर्फ दूध हो दूध का विकल्प नहीं जैसे—बादाम दूध, सोया

2. बादाम और ड्राई फ्रूट्स

- बादाम + ड्राई फ्रूट्स मिलाकर खिलाएँ
- नट्स—पिस्ता, आलमंड, काजू, अखरोट
- ड्राई फ्रूट्स—किशमिश, खजूर, सूखा खजूर, खरीक (एप्रीकॉट)
- अगर कब्ज हो तो—रात में भिगोया हुआ किशमिश
- पीरियड्स के दौरान—घी के साथ खूबानी

3. ताजे फल

- लोकल
- मौसमी
- पूरे महीने केले का सेवन
- बेर, चीकू, पेरू, नारंगी, अंगूर, और जो भी मौसम में उपलब्ध हो
- ऐसा कोई फल न खायें जो बाजार में 150 किलोमीटर दूर से आया हो या जिसकी पैकिंग प्लास्टिक थैले में हुई हो।

ब. अगर अच्छी तरह नाश्ता करने का समय न हो :

- घर में बना गर्मा गरम नाश्ता करें, जैसे पोहा, उपमा, इडली, डोसा, पराठा, दलिया आदि
- पैकेट बन्द जूस, कॉर्नफ़्लेक्स, ओट्स आदि नाश्ते में न खायें

- यदि इम्यून सिस्टम कमजोर है तो दूध या पानी में बनी रागी खायें

- यदि पाचन शक्ति कमजोर है, गैस या पीरियड से सम्बन्धित कोई समस्या है तो — लाहया, ज्वार, या रागी फ्लैक्स (पॉपकॉर्न की तरह दिखने वाला) दूध या घी में भूनकर नमक और काली मिर्च के साथ खायें।

इस पर भी ध्यान दें :

- खाना बनाना और बच्चों को खिलाना सिर्फ माँ की जिम्मेदारी नहीं है पिता को भी इसमें पूरा सहयोग और योगदान देना चाहिए।

- सात साल से बड़े बच्चों को रसोईघर से अपना खाना खुद लाकर और खाने के बाद उसे धोकर रखना चाहिए।

याद रखें अच्छी शुरुआत आधा युद्ध जीतने के समान है।

दूसरे हफ़्ते का दिशानिर्देश : स्कूल से आने के बाद गुड़ और मूंगफली का मिश्रण दें न कि बिस्कुट, चिप्स, चॉकलेट आदि

जब हमारे बच्चे स्कूल से आते हैं तो अक्सर थके हुए होते हैं, उनका एनर्जी लेवल एकदम कम रहता है। इस वक्त उन्हें तेज़

भूख लगी होती है और कुछ पौष्टिक खाने की ज़रूरत होती है। लेकिन यही वो समय होता है जब बच्चे एक जगह बैठकर ठीक से खाना नहीं खाते, उछल कूद में लगे रहते हैं। ऐसी स्थिति के लिए यह अल्पाहार (Snax) बहुत बढ़िया रहेगा और बच्चे जंक फ़ूड से भी दूर रहेंगे।

- यह बहुत सुविधाजनक है
- इसे टहलते हुए, कार या बस में भी आराम से खाया जा सकता है
- बच्चों को अपने स्वाद के अनुसार मूंगफली और गुड़ एक सही अनुपात में लेने दें

मूंगफली और गुड़ क्यों?

- यह पूर्ण पौष्टिक आहार है इसे आसानी से खाया जा सकता है और बनाने का भी झंझट नहीं
- यह सूक्षम मिनरल्स, विटामिन्स और पॉलीफेनोल्स का बेजोड़ मिश्रण है।
- इसमें पर्याप्त मात्रा में वसा होता है जो हड्डियों और दिल के लिए अच्छा है। खासकर उन बच्चों के लिए और भी अच्छा है जो खेल कूद में ज़्यादा भाग लेते हैं।
- इनमें उच्च मात्रा में एंटीऑक्सिडेंट्स पाया जाता है जो उन बच्चों के लिए वरदान है जिन्हें फल खाना

अच्छा नहीं लगता।

- मिनरल्स और विटामिन बी की वजह से युवा लड़कियों को पीरियड्स की ऐंठन, मरोड़ आदि से आराम मिलता है।

मूंगफली और गुड़ का विकल्प

- मूंगफली की जगह गुड़ का प्रयोग कर सकती हैं
- यदि आपके बच्चे की प्रतिरोधक क्षमता कमजोर है या उसे किसी चीज से एलर्जी है तो एक से दो चम्मच घी मिला दें
- आप इसे ताजे नारियल से गार्निश कर सकती हैं या सूखे नारियल के टुकड़े के साथ दे सकती हैं। यह उन बच्चों के लिए काफी लाभदायक है जो मोटापे, मधुमेह या फैटी लीवर की समस्या से पीड़ित हैं
- गर्मियों में आप घी में भुने हुए कुरमुरे या लहया (चावल से बना पॉपकॉर्न की तरह दिखने वाला खाद्य) में गुड़ की जगह मूँगफली मिला लें

अपने बच्चों को फसल चक्र (हर मौसम में अलग-अलग उपजने वाले अनाज) के हिसाब से खाने की आदत डालें। यह भविष्य में उनके स्वास्थ्य, फिटनेस के लिए अच्छा है।

तीसरे हफ़्ते का दिशानिर्देश—चाहे बच्चों का होमवर्क छूट जाये या वो ट्यूशन न जायें लेकिन उन्हें रोज कम से कम एक घंटा ज़रूर खेलने दें।

आजकल के बच्चों की शारीरिक गतिविधि बहुत कम हो गयी है जो कि अच्छे स्वास्थ्य के लिए बहुत ज़रूरी है। इसका परिणामत: बच्चे बहुत कम उम्र में मोटापे, एलर्जी के शिकार हो रहे, और वो अक्सर बीमार पड़ते रहते हैं। विश्व स्वास्थ्य संगठन कहता है कि सत्रह साल की उम्र तक बच्चों को रोज कम से कम एक घंटे खेलना चाहिए। हाँ ये ध्यान दें कि अगर बच्चे एक घंटे से ज़्यादा खेलते हैं तो नुकसानदेह नहीं बल्कि ज़्यादा फायदेमन्द है।

नियमित शारीरिक गतिविधि :

- हड्डियों, मांसपेशियों, जोड़ों को मजबूत बनाता है
- फेफड़े और दिल को स्वस्थ रखता है
- तंत्रिका पेशिकाओं (न्यूरोमस्कुलर) के समन्वय और मूवमेंट को नियन्त्रित रखता है
- स्वस्थ शरीर और वजन को नियन्त्रित रखता है
- आत्मविश्वास, सामाजिक सरोकारों को बढ़ावा

लम्बे समय में इसका फायदा यह होता है कि बच्चे, शराब, धूम्रपान, ड्रग्स की लतों से दूर रहते हैं क्योंकि एक बार जब वो

नियमित तौर पर शारीरिक गतिविधियों में रम जाते हैं तो फिर वो इसे बुरी लतों से ख़राब नहीं करना चाहते।

बतौर माता पिता/समाज हम बच्चों की शारीरिक गतिविधियों को आगे बढ़ाने में इस तरह मदद कर सकते हैं :

- उन्हें हर मौसम में खेलने के लिए प्रोत्साहित करना चाहिए
- लड़कों को लड़कियों के साथ खुली जगह साझा करना सिखायें और लड़कियों को निडर होकर खुले स्थानों पर दौड़ना, कूदना आदि सिखाएँ
- उन्हें एक घंटे खेलने के लिए अगर ट्यूशन या होमवर्क भी छोड़ना पड़े तो ख़ुशी खुशी ऐसा करने दें
- अपने क्षेत्र के नेताओं को यह बताएं कि बच्चों के खेलने के लिए खुली जगह उपलब्ध कराने से उनके वोट उन्हें मिलेंगे

चौथे हफ़्ते का दिशानिर्देश : अच्छी नींद के लिए बच्चों के सोने और जागने का समय तय करें

क्या आपने कभी अपने बच्चे के अक्सर बीमार पड़ने, उसके चिड़चिड़े या जिद्दी होने की तरफ गौर किया है? खैर एक जागरूक माता पिता होने के नाते आपको करना केवल इतना

है कि उनके अच्छी नींद की आदत को विकसित करना है। और इसके लिए उनके सोने जागने के समय को तय करने की ज़रूरत है।

उनकी अच्छी नींद की आदत

- रात 8 से 9:30 बजे एक आदर्श समय है, इससे बच्चे पर्याप्त नींद ले पायेंगे
- किशोर, किशोरियों (टीनएजर) के लिए इस समय को आगे बढ़ाकर 10:30 तक कर सकते हैं लेकिन इससे ज़्यादा देर नहीं
- हर रोज सुबह एक निश्चित समय पर उठें
- अगर आपका बच्चा सप्ताहाँत में बहुत अधिक सोता है तो जान लें कि वो सामान्य दिनों में अच्छी नींद नहीं ले पा रहा या ठीक से नहीं सो रहा
- याद रखें कि अगले दिन बहुत अधिक सोने से आप एक रात की नींद की पूर्ति नहीं कर सकते

सोना क्यों महत्वपूर्ण है?

- यह हमें सारी गैर छुआछूत बीमारियां जैसे, मोटापा, मधुमेह, फैटी लीवर आदि से बचाता है
- बच्चों के शैक्षिक प्रदर्शन में सुधार आता है और वो ज़्यादा रचनात्मक होते हैं
- किशोरों में तनाव और बेचैनी कम होती है

- बच्चों में अच्छी वृद्धि होती है और उनकी प्रतिरोधक क्षमता भी मजबूत होती है

- स्मरण शक्ति तेज होती है

- इमोशनल कोटेंट (EQ) को बेहतर बनाने के अलावा मस्तिष्क सम्बन्धी सारी बीमारियों जैसे एडीएचडी (अटेंशन डिफिसिट हायपर एक्टिविटी डिसऑर्डर) से भी दूर रखता है।

पाँचवें हफ़्ते का दिशानिर्देश : पौष्टिक डिनर

हफ़्ते में कम से कम छह दिन सामान्य लेकिन पौष्टिक डिनर जैसे, दाल—चावल, खिचड़ी, रोटी—सब्जी आदि

अपने बच्चों से कभी यह न पूछें कि तुम डिनर में क्या खाओगे। बल्कि उन्हें ये बताएं आज तुम्हें डिनर में ये खाना है, एक संतुलित, सामान्य, पौष्टिक डिनर।

आपका डिनर तीन कसौटियों पर पास होना चाहिए :

1. ऐसा खाना जो आपकी दादी नानी भी खाती थी

2. आपके क्षेत्र का होना चाहिए

3. बनाने में आसान और गर्मागर्म परोसते समय स्वाद में लाजवाब होना चाहिए

सारे पारम्परिक खाने जैसे, दाल-चावल, रोटी-सब्जी, खिचड़ी-

कढ़ी, बच्चों के पोषण सम्बन्धी ज़रूरतों को पूरा करने के अलावा अच्छी नींद में भी सहायक होता है। बस ध्यान ये रखना है कि खाने में ये सारी चीजें अपने बच्चों को लगातार रात में देते रहें, भले ही वो इसे खाते खाते ऊब जायें, और हाँ खाने में घी डालना न भूलें।

रात के खाने में नियमित रूप से आपको क्या नहीं खाना चाहिए :

- विविध प्रकार—रोज रात को अलग-अलग खाना
- रेडी टू कुक भोजन जैसे नूडल्स और पास्ता
- बाहर से आर्डर किया हुआ खाना

आप अपने बच्चों को घर पर ही हफ़्ते में एक दिन कुछ अच्छा, जायकेदार भोजन बना कर दे सकती हैं, खासकर शनिवार को।

बाहरी खाने में बच्चों की वृद्धि के लिए ज़रूरी पोषक तत्वों का अभाव होता है, इससे शरीर में पानी की कमी के अलावा उनकी नींद भी ख़राब होती है।

बाहर खाना— महीने में दो बार से ज़्यादा नहीं, इसमें उनकी जन्मदिन की पार्टी भी शामिल होनी चाहिए।

सादा भोजन करें, और स्वस्थ शरीर के साथ आगे बढ़ें।

छठे हफ़्ते का दिशानिर्देश : बच्चों का स्कूल लंच प्लास्टिक के डिब्बे और एल्युमिनियम फॉयल में पैक न करें

इसके बदले स्टील का डिब्बा और मलमल के कपड़े का इस्तेमाल करें और पानी के लिए स्टील या तांबे की बोतल

क्यों?

- जब खाना उस वस्तु के संपर्क में आता है जिसमें हम उसे पैक करते हैं तो खाने में उस वस्तु के गुण आ जाते हैं, खासकर तब जब खाना गरम हो।
- प्लास्टिक में हानिकारक रसायन पाए जाते हैं जिसे खनिज ज़िंक कहते हैं, जो बच्चों के शरीर के एस्ट्रोजन हार्मोन को बिगाड़कर उनमें हार्मोनल असंतुलन पैदा कर देता है।
- एल्युमिनियम के साथ भी वही कहानी है। एल्युमिनियम शरीर में आवश्यक खनिज, जिंक (जो कि इन्सुलिन के कार्य करने के लिए बहुत ज़रूरी है) का स्थान ले लेता है। और शरीर में इंसुलिन का असामान्य प्रवाह गैर छुआछूत बीमारियां जैसे मोटापा, मधुमेह, फैटी लीवर आदि को निमंत्रण देता है।

वास्तव में हम पोषक तत्वों से भरपूर भोजन को सस्ते डिब्बे में पैक कर अपने बच्चों के स्वास्थ्य को खतरे में डालते हैं। तो गैर प्लास्टिक स्त्रोत की ओर मुड़ना एक छोटा-सा कदम है जिसका स्वास्थ्य पर बहुत गहरा प्रभाव पड़ता है, जैसे :

- कब्ज और बीमारियों में कमी
- चिड़चिड़े स्वभाव में कमी
- नाखून, बाल और त्वचा में निखार
- अच्छी वृद्धि और हार्मोनल संतुलन

प्लास्टिक का उपयोग नहीं करने से हमारे पर्यावरण को काफी फायदा होगा और हम ऐसी दुनिया छोड़कर जायेंगे जो आने वाली पीढ़ी के लिए और बेहतर होगी।

सातवें हफ़्ते का दिशानिर्देश : स्वस्थ, स्वादिष्ट और आसान लंच बनाने का नुस्खा

लंच में क्या पैक करें यह लगता तो बहुत आसान है पर है बहुत कठिन कार्य। बच्चे रोज रोज एक ही खाना खाकर बोर हो जाते हैं और हमारे पास कभी-कभी समय की बहुत किल्लत हो जाती है कि ताजा खाना बनाकर उन्हें दें। तो यहाँ स्वस्थ, स्वादिष्ट और आसान लंच बनाने का त्वरित नुस्खा मैं आपको दे रही हूँ :

1. **रोटी, गुड़ और घी**—बच्चों के छोटे और लम्बे दोनों ब्रेक्स के लिए यह बहुत लाजवाब है। आप रोटी के साथ घी और गुड़ दे सकती हैं या फिर बच्चा रोटी पर घी लगाकर रोल की तरह लपेटकर खा सकता है और इस तरह आपका पोषक तत्वों से भरपूर डिब्बा तैयार हो गया। आप इसमें

रात की बनी रोटी भी दे सकती हैं। विशेष रूप से यह सर्दियों में बहुत अच्छा है या फिर तब जब बच्चा, कफ, या कम प्रतिरोधक क्षमता से पीड़ित हो। अगर आपके बच्चे को लगातार एलर्जी रहती है तो ठंढ में पिघला हुआ गुड़ प्रयोग करें। गर्मियों में आप रोटी के साथ घी या चीनी या फिर गुड़ जो आपको ठीक लगे दे सकती हैं।

2. **दही चावल/चावल के साथ तड़का/फोडनीचा भात (महाराष्ट्र में चावल बनाने की एक विधि)/वाघरेला भात (गुजराती व्यंजन)/नींबू चावल**—बनाने में बहुत आसान और स्वादिष्ट यहाँ तक कि ठंढे होने के बाद भी। आमतौर पर ठंढ़े चावल का स्वाद बहुत अच्छा नहीं होता है, लेकिन इसकी बहुमुखी प्रकृति के लिए धन्यवाद, इसे वघर या तड़का या मिक्स दही में बदले दें तो यह एक शानदार अल्पाहार में बदल जाता है। आप तड़का चावल के साथ दही या छाछ, हींग या करी पत्ते के साथ तड़का लगा लें और इसमें चुटकी भर सेंधा नमक मिला लें बस हो गया तैयार आपका सम्पूर्ण आहार, जो कि प्री और प्रो बायोटिक का अच्छा मिश्रण भी है। यकीन मानिये बाजार में मिलने वाली कोई भी दही आपके द्वारा बनाए इस आहार का मुकाबला नहीं कर सकती। हर मौसम के लिए अच्छा। आप इसे बच्चों को बतौर अल्पाहार (स्नैक) या

स्कूल से आने के बाद खाने के रूप में दे सकती हैं।

3. **ताजे फल**—केला बढ़ते, थोड़ी मजबूत कद-काठी के बच्चों, किशोरियों में पीरियड्स के दौरान, ऐंठन, मरोड़, और उन बच्चों के लिए बहुत फायदेमन्द है जिन्हें शाम में घुटनों में दर्द रहता है। इसमें पर्याप्त मात्रा में खनिज, विटामिन बी होता है ऐसे में आप इसे किसी भी कीमत पर अनदेखा नहीं कर सकती हैं। लेकिन मौसमी फल जैसे बेर, जामुन, आम, अमरुद सीताफल, भी बच्चों को खिलायें। अपने बच्चों के खाने और फलों में विविधता उनके भविष्य के स्वास्थ्य के लिए बहुत महत्वपूर्ण है। बाजार के बहकावे और प्रचार में आकर, कीवी, बेरीज, जैसे फल न खरीदें। कब्ज, कील मुहाँसे और ऐसी किसी भी तरह की परेशानी या रोग के लिए मौसमी और लोकल फल बहुत लाभदायक होते हैं।

आठवें हफ़्ते का दिशानिर्देश : रोज आसन अभ्यास करें खासकर सूर्यनमस्कार

बच्चों को रोजाना आसन खासकर सूर्यनमस्कार का अभ्यास ज़रूर कराएं। आमतौर पर सूर्यनमस्कार का अभ्यास बच्चों के लिए थोड़ा आसान रहता है, लेकिन अन्य क्रियाएं जैसे,

प्राणायाम, आदि बच्चों को नहीं करनी चाहिए।

रोजाना आसन/सूर्यनमस्कार के लाभ। ये :

- हड्डियों और जोड़ों को मजबूत बनाते हैं
- बच्चों के दिमाग में अनुशासन का भाव भरते हैं
- दिमाग को शांत कर बच्चों को ऊर्जावान बनाते हैं

नोट : सूर्यनमस्कार किशोरावस्था के बच्चों के लिए और भी फायदेमन्द है क्योंकि इसका सीधा असर उनकी ग्रंथियों—थायरॉयड, एड्रेनल्स, पिट्यूट्री पर पड़ता है। अधिकतम मेटाबोलिज्म से लेकर दर्द मुक्त माहवारी और विटामिन डी का अच्छा स्तर सब इन ग्रंथियों के ठीक से कार्य करने पर निर्भर करता है।

बच्चे सात साल की उम्र में सूर्यनमस्कार का अभ्यास शुरू कर सकते हैं। रोजाना पाँच लेकिन अधिकतम बारह सूर्यनमस्कार बच्चों के लिए ठीक हैं। इसका अभ्यास सुबह या सूर्यास्त के समय करना चाहिए।

नोट : बच्चों के लिए योग लेखक स्वाति और राजीव, आयंगर के योग शिक्षक बच्चों के आसन और सूर्यनमस्कार सीखने के लिए बहुत अच्छी किताब है।

नौवें हफ़्ते का दिशानिर्देश : बच्चों के अच्छे विकास और मोटापे को रोकने के लिए उनके स्क्रीन टाइम को नियन्त्रित करें।

तीन तरीकों से

1. खाने के समय कोई स्क्रीन नहीं—यह सुनिश्चित करें कि खाते समय बच्चों के सामने न तो टीवी हो, न आईपैड न मोबाइल मतलब कोई स्क्रीन नहीं, इससे होगा यह कि बच्चा खाने और भूख पर पूरी तरह ध्यान देगा। इससे बच्चों की लेप्टिन (वसा कोशिकाओं द्वारा निर्मित) संवेदनशीलता अच्छी होगी और बच्चा भविष्य में ओवरईटिंग से बचेगा। इसके अलावा बच्चे को खाने के समय का महत्व भी पता चलेगा।

2. सोने से एक घंटे पहले अगर आप बच्चों को स्क्रीन से दूर कर देते हैं तो बच्चे अच्छी, आरामदायक नींद लेते हैं जो इस उम्र में उनकी वृद्धि और विकास के लिए बहुत ज़रूरी है। सोने के दौरान हॉर्मोन, खासकर वृद्धि हॉर्मोन अच्छे से कार्य करता है। इसके अलावा यह भी ध्यान रखें कि बच्चों के कमरे में टीवी न हो क्योंकि शयन कक्ष में टीवी और मोटापे के बीच गहरा सम्बन्ध है।

3. रोजाना आधे घंटे से कम स्क्रीन टाइम—यह कंप्यूटर पर

होमवर्क करने के अलावा होना चाहिए। अध्ययन में यह बात सामने आयी है कि जो बच्चे स्क्रीन पर जितना समय गुजारते हैं उन्हें जंक फ़ूड खाने की उतनी ही तलब होती है, खासकर मीठा पेय जैसे कोला, पैकेट बन्द जूस आदि। बच्चे स्क्रीन पर जितना समय गुजारेंगे उनकी शारीरिक गतिविधि उतनी ही कम होगी जिससे भविष्य में मधुमेह का खतरा पैदा हो सकता है।

दसवें हफ़्ते का दिशानिर्देश : जंक फूड की पहचान करें और इसे खाकर ख़त्म करने की योजना बनाएं

पहला कदम—जंक फ़ूड की पहचान करें

- स्पष्ट रूप से वैसे जंक फ़ूड जिसे हम स्वास्थ्य के लिए हानिकारक मानते हैं, जैसे फास्ट फूड चेन द्वारा बेचे जाने वाले पिज्जा और बर्गर, पैकेट बन्द चिप्स, कोला, चॉकलेट, आइस क्रीम, पेस्ट्रीज, डॉनट (तले आटे का अपरीकी खाद्य पदार्थ जो आम तौर पर बहुत मीठा होता है), कैच अप, मायोनीज़ आदि
- वैसे जंक फूड जो स्वास्थ्यवर्धक होने का दिखावा करते हैं पर होते नहीं हैं, जैसे नाश्ते का अनाज, जूस (टेट्रापैक, पावडर आदि), बिस्किट्स (यहाँ तक फाइबर से भरपूर होने का दावा करने वाले भी)

डार्क चॉकलेट, चॉकलेट सिरप, दूध के पाउडर, कप केक, और मफिन्स, रेडी टू कुक फ़ूड, फ्रोजेन फ़ूड, एनर्जी ड्रिंक्स, बेक्ड या मल्टीग्रेन चिप्स, जेम्स, इंस्टेंट नूडल्स (गेहूं, मल्टीग्रेन, सब्जियाँ, ओट्स) मसालेदार दही और दूध आदि

दूसरा कदम—इनके उपभोग के लिए एक रणनीति बनाएं

- महीने में एक सीमा निर्धारित कर दें। बेहतर होगा महीने में एक बार। लेकिन अगर आप बहुत सारा जंक फूड खा रही हैं तो हर महीने इसमें कम से कम पचास प्रतिशत कटौती की योजना बनाएं। उदाहरण के लिए अगर आप महीने में आठ बार जंक फूड का उपभोग कर रही हैं तो पहले महीने इसे चार पर लायें, दूसरे महीने दो पर और तीसरे महीने इसे एक पर लाने की कोशिश करें।
- माता पिता के रूप में बच्चों को जंक फूड कभी भी, प्यार दुलार दिखाने, या किसी उत्सव पर न दें, क्योंकि यह बच्चों के आसानी से प्रभावित होने वाले दिमाग पर लम्बे समय तक असर छोड़ता है।
- याद रखें कि जो भी सुपरस्टार्स या क्रिकेटर इसका विज्ञापन करते हैं वो खुद कभी इसे नहीं खाते, वो सिर्फ पैसों के लिए करते हैं।

जंक फूड क्यों नहीं खाना चाहिए :

- यह बच्चों की शारीरिक और मानसिक दोनों की सामान्य वृद्धि को प्रभावित करता है—और इसके सेवन से बच्चे अपनी पूरी क्षमता कभी हासिल नहीं कर पाते हैं।
- शरीर में गैर छुआछूत बीमारियों जैसे, मधुमेह, मोटापा, फैटी लीवर, पीसीओडी, कैंसर को आमंत्रित करता है।
- बच्चों में चिड़चिड़ापन, एकाग्रता की कमी, गुस्सा जैसी कई मानसिक समस्याओं के लिए जिम्मेदार
- और सबसे बुरा, इसकी लत लग जाती है। जितना ज़्यादा वो जंक फ़ूड खायेंगे उन्हें और जंक फ़ूड खाने की इच्छा होगी। यह एक दुष्चक्र है।

ग्यारहवें हफ़्ते का दिशानिर्देश : नियमित रूप से सीखें और संतुलित रहने की कोशिश करें

इन गाइडलाइन्स के मायनों में संतुलन दरअसल शरीर की स्थिति को नियन्त्रित रखकर रोजाना के कार्यों को करने की क्षमता है। संतुलन और समन्वय के साथ गतिविधि हरेक बच्चे के जीवन का अभिन्न हिस्सा होना चाहिए ताकि उनका पोस्चर ठीक हो सके और उनके आत्मविश्वास में वृद्धि हो।

बहुत सारे आसान तरीकों से ऐसा किया जा सकता है— रस्सी

कूदना, साइकिलिंग, तैराकी, स्केटिंग, डांसिंग, मार्शल आर्ट, लटकना, योगासन जैसे, हाथों को सीधे रखना, पीछे मोड़ना आदि।

यह याद रखें कि कम उम्र में संतुलन पाना और बनाना आसान है, लेकिन एक उम्र के बाद इसमें काफी मुश्किलें आती हैं। इसलिए आपका बच्चा जितनी जल्दी इसकी शुरुआत करेगा उसके भविष्य और आपके लिए भी उतना ही आसान होगा। हर हफ़्ते कुछ घंटों के लिए इसका अभ्यास करवाएं। यह आपके बच्चों के सर्वांगीण विकास में बहुत लाभदायक होगा।

इन गतिविधियों के लाभ :

- एकाग्रता और सचेतता में वृद्धि
- मांसपेशियों, जोड़ों में मजबूती
- बच्चे सीखते हैं कि खेल कूद के दौरान कैसे गिरते हैं ऐसे भविष्य में फ्रैक्चर का खतरा कम होता है
- उनके अन्दर विश्वास और सामाजिक मेल जोल में वृद्धि

वैसे, अब सिट एंड राइजिंग टेस्ट (एसआरटी) का उपयोग मेटाबॉलिक स्वास्थ्य और लम्बी उम्र के मापने के लिए भी किया जाता है।

बारहवें हफ़्ते का दिशानिर्देश : अपनी मातृभाषा में भोजन को पहचानें

यह आपको अपनी संस्कृति और खान-पान के तरीकों के बीच सम्बन्ध स्थापित करने में मदद करता है साथ ही आप लोकल खाने और विदेशी खाने के बीच अन्तर समझ पाते हैं तथा जंक फूड के मनमोहक विज्ञापनों के चुंगल में फँसने से खुद को बचा पाते हैं।

आप लोगों में से बहुतों ने यह शिकायत की है कि आपका बच्चा केवल जंक फूड ही खाता है, और घर में बने खाने की बजाय, कोला, पिज़्ज़ा, आइसक्रीम, पास्ता की मांग करता रहता है। इसका एक बड़ा कारण उनके द्वारा बोली जाने वाली भाषा (अंग्रेजी) और मातृभाषा के कमजोर या बिल्कुल ख़त्म होता सम्बन्ध है।

हम आजकल खाने को, दाल-चावल, अचार, पूड़ी, थाइर सदाम (दही चावल) न बुलाकर, प्रोटीन, कार्बो, फैट बुलाते हैं और जब हम खाने को उनके लोकल नाम से नहीं बुलाते तो उनके बीच के सम्बन्धों को समझने से भी वंचित रह जाते हैं। इसलिए अपने बच्चों को हमारे खाने पीने की समृद्ध परम्परा, संस्कृति से परिचित कराने के लिए स्थानीय भाषा सिखायें, उसी भाषा में बात करें।

अपनी स्थानीय भाषाओं के प्रति लोगों की उदासीनता की वजह से ही संयुक्त राष्ट्र संघ ने 2019 को 'देशी भाषाओं का वर्ष घोषित किया था'। भारत में करीब 19500 मातृ भाषाएं बोली जाती हैं और हेल्थ और इससे जुड़ी सारी चीजों का ज्ञान इन्हीं में छिपा हुआ है। हमारे द्वारा बोली जाने वाली विभिन्न भाषाएं और बोलियां हमें अपनी संस्कृति और खान-पान की विरासत से जोड़ती है साथ ही हमें क्लाइमेट प्रूफ तरीके से खाना सिखाती है।

खाने को अपनी मातृभाषा में बोलने के फायदे

- बच्चों को इससे यह समझने में आसानी होती है कि उनके क्षेत्र में कौन-सा फूड स्थानीय है इसलिए हेल्दी है। स्थानीय खाना पारिस्थितिकी रूप से अच्छा होता है क्योंकि यह प्लेट तक चार, पाँच सौ किलोमीटर नहीं बल्कि चार, पाँच किलोमीटर की दूरी तय कर ही पहुँचता है, इसके अलावा यह किसानों और स्थानीय अर्थव्यवस्था के लिए भी बहुत अच्छा है।

- यह बहुत सारे विदेशी खाद्य पदार्थों (जैसे, क्विनोआ, कीवी, ब्रॉकली, बींस, रुकोला आदि जिनका हेल्थ, पारिस्थितिकी, आर्थिक दृष्टिकोण से कोई मूल्य नहीं है) को उन्हें अपने नजरिये से

देखने और तुलना करने में मदद करता है।

- जंक फ़ूड के मनमोहक विज्ञापनों की और आकर्षित होने से बचाता है, जब खाद्य पदार्थों को अपनी स्थानीय भाषा में बुलाते हैं तो अंग्रेजी में दिखाई जाने वाली और बच्चों द्वारा देखी जाने वाली फ़ास्ट फ़ूड, विदेशी खाने के विज्ञापनों पर भारी पड़ता है।

तो चलिए अपने खाने की टेबल से शुरुआत कीजिये। एक परिवार के तौर पर अपने खाने को स्थानीय भाषा या मातृभाषा में बुलाना शुरू कीजिये।

अतिरिक्त टिप्स

गर्मी की छुट्टियों के लिए कुछ विशेष सुझाव

- खेलने के समय को कम से कम तीन घंटे तक बढ़ा दें।

- कोशिश करें कि आपका बच्चा, पापड़, अचार, शर्बत बनाने की प्रक्रिया में भाग ले।

- अगर सफर कर रहें हो तो, लंच में पास्ता, पिज़्ज़ा, आदि ले सकते हैं।

- शाम चार से छह के बीच चटपटा अल्पाहार ले सकते हैं।

- सोने से पहले गुलकंद दूध पियें

जन्मदिन की पार्टियों के लिए विशेष टिप्स :

केवल तीन खाद्य पदार्थ परोसें—एक ताजा तला हुआ + एक पौष्टिक + मिठाई—जैसे, समोसा + पोहा + जलेबी या पूड़ी आलू भाजी + श्रीखंड

लेखक परिचय

भारत की शीर्ष खेल विज्ञान और पोषण विशेषज्ञ सार्वजनिक स्वास्थ्य समर्थक, ऋजुता दिवेकर कॉमन सेंस के प्रयोग और खाने को बिना तामझाम के सरल बनाने की मुखर समर्थक हैं।

उनकी किताबों की बिक्री का आँकड़ा दस लाख को पार कर गया है और देश भर में भोजन और व्यायाम को लेकर, लेखों, बातचीत और संवाद से चर्चा को जारी रखा है। वह स्वस्थ शरीर और दिमाग के लिए पारम्परिक खाद्य ज्ञान और आधुनिक पोषण विज्ञान के मिश्रण पर जोर देती हैं, जो उनके इस मंत्र के माध्यम से सबसे अच्छी तरह सामने आता है—ईट लोकल, थिंक ग्लोबल।

सोशल मीडिया पर करीब बीस लाख फॉलोवर्स और सौ मिलियन वीडियो व्यूज के साथ वह इस मंच पर दुनिया की सबसे ज़्यादा फॉलो की जाने वाली पोषण विशेषज्ञों में से एक हैं।

QR स्कैनर ऐप के साथ QR कोड पर क्लिक करें।
या ऐप डाउनलोड करने के लिए अपने फोन पर इंटरनेट ब्राउज़र में लिंक टाइप करें।

हमारी पूरी कैटलॉग देखने के लिए www.juggernaut.in पर आएं। अपनी पुस्तक भेजने के लिए, एक सिनोप्सिस और दो अध्याय नमूने के तौर पर books@juggernaut.in पर भेजें।

अन्य किसी शिकायत या सवाल के लिए contact@juggernaut.in पर लिखें